Janelas da mente

Ana Beatriz Barbosa Silva
e Eduardo Mello Guimarães

Janelas da mente

GLOBOLIVROS

Texto fixado conforme as regras do Acordo Ortográfico da Língua Portuguesa (Decreto Legislativo nº 54, de 1995).

Editora responsável: Amanda Orlando
Editora assistente: Elisa Martins
Preparação de texto: Isabela Sampaio
Revisão: Huendel Viana, Carmen T. S. Costa e Adriane Gozzo
Diagramação: Crayon Editorial
Capa: Diego Lima
Imagem de capa: Chris Rivera

1ª edição, 2017
3ª reimpressão, 2022

CIP-BRASIL. CATALOGAÇÃO NA PUBLICAÇÃO
SINDICATO NACIONAL DOS EDITORES DE LIVROS, RJ

S578j

Silva, Ana Beatriz Barbosa
Janelas da mente / Ana Beatriz Barbosa Silva, Eduardo Mello Guimarães. - 1. ed. - São Paulo : Globo, 2017.

ISBN: 978-85-250-6299-4

1. Ficção brasileira. I. Guimarães, Eduardo Mello. II. Título.

17-42330 CDD: 869.93
CDU: 821.134.3(81)-3

Direitos de edição em língua portuguesa para o Brasil
adquiridos por Editora Globo S. A.
R. Marquês de Pombal, 25
20.230-240 – Rio de Janeiro – RJ – Brasil
www.globolivros.com.br

À humanidade, que sempre me surpreende com seus comportamentos ora extraordinários, ora nem tanto assim.

Ana Beatriz Barbosa Silva

Aos grandes mestres da literatura que diariamente me incentivam a jamais me conformar com a mediocridade.

Eduardo Mello Guimarães

Sumário

Introdução 9

Mentes apagadas 11
Mentes obsessivas 35
Mentes disformes 49
Mentes que amam demais 63
Mentes consumistas 79
Mentes depressivas 99
Mentes jogadoras 111
Mentes sexualizadas 125
Mentes paranoides 147
Mentes hiperativas 155
Mentes perigosas 165
Mentes em pane 179

Agradecimentos 191

Introdução

Imagine que você está sozinho dirigindo por uma estrada bucólica. Você fez a revisão do veículo e está atento aos outros carros e caminhões. A viagem prossegue até que surge um abismo num determinado ponto da rodovia e você despenca. Tudo à sua volta desaparece até que, de repente, você para de cair e vê a estrada tranquila de novo à sua frente. Inseguro e confuso, você pega a primeira saída que consegue encontrar e entra numa outra estrada, dessa vez toda esburacada e que só vai atrasar e atrapalhar sua viagem.

Grosso modo, é isso que acontece com as pessoas que sofrem de disfunções mentais. Suas vidas mudam bruscamente de rumo — e essa mudança é sempre para pior. A alegoria acima é uma espécie de abre-alas do que você vai encontrar nesta obra de ficção inspirada em histórias reais: algumas das principais alterações comportamentais reunidas em doze contos.

Escolhemos narrar essas histórias em forma de contos porque, embora o tema geral de *Janelas da mente* sejam os comportamentos disfuncionais, cada um deles possui características bastante distintas, bem como suas consequências no cotidiano dos portadores. Veio daí a necessidade de criarmos doze histórias completamente independentes.

E não espere encontrar heróis ou vilões nesse universo de mentes atormentadas, mas é bem possível que você, seus familiares ou amigos já tenham vivenciado histórias similares às contadas neste livro. Caso isso tenha acontecido, não fique assustado. Como bem observou o filósofo dinamarquês Søren Kierkegaard nas palavras a seguir, você está longe de estar sozinho:

> Assim como talvez não haja, dizem os médicos, ninguém completamente são, também se poderia dizer, conhecendo bem o homem, que nem um só existe que esteja isento de desespero, que não tenha lá no fundo uma inquietação, uma perturbação, uma desarmonia, um receio do desconhecido ou que ele nem ousa conhecer, receio de uma eventualidade exterior ou receio de si próprio.*

* Søren Kierkegaard, *O desespero humano*. São Paulo: Martin Claret, 2007.

Mentes apagadas

Oswaldo tem sessenta e cinco anos intensamente vividos. Não é à toa que parece ser mais velho. "Não importa, eu vivi a vida", diz para os críticos de plantão. Faz o tipo esguio, bem magro e está sempre de óculos devido aos doze graus de miopia. Neste dia ensolarado e de muito calor, típico do verão carioca, está na sala da sua casa, esparramado na sua confortável cadeira de leitura, daquelas típicas de vovô, mas que crianças de todas as idades adoram.

Seu gosto literário fica claro com o livro que tem em mãos: *Cem anos de solidão*, de Gabriel García Márquez. Aliás, criar a maior distância possível entre ele e a mediocridade sempre foi uma das batalhas diárias de Oswaldo, o que talvez explique o envelhecimento precoce. De repente, algo faz com que ele desvie os olhos da leitura. Um raio de sol invade a sala através de uma fresta da persiana. Não é um raio de sol comum. Parece mais um feixe de laser. Após um breve momento de estranhamento e hesitação, Oswaldo não vê problema em levantar-se e abrir a persiana, deixando a luz do sol da manhã esparramar-se pelo recinto de móveis sombrios e ofuscar o estranho feixe de luz.

De volta à cadeira, o homem tira os óculos e pensa em retomar a leitura. Porém, leva um susto quando vê o feixe de laser, dessa vez mais intenso que a luz solar, incidindo sobre a estante onde estão os porta-retratos da família. Após alguns instantes paralisado pelo espanto, consegue se levantar e aproximar-se da estante. Sua perplexidade aumenta quando percebe que o feixe ilumina apenas um dos porta-retratos. Fixa o olhar sobre o retrato e sente o coração disparar. As pessoas sorridentes da foto começam a desaparecer uma a uma, até restar apenas ele, sozinho e perdido. A paisagem de fundo também desaparece, deixando-o frente a frente com o Nada infinito. Tenta gritar, mas só consegue aumentar o silêncio. Aterrorizado, desperta ofegante do pesadelo. Percebe que havia adormecido e que o livro deslizou das suas mãos para o braço da poltrona. A persiana está fechada e o velho relógio de parede da sala marca duas da tarde. Coloca um dos braços sobre a testa molhada de suor. Ouve um som de telefone vindo do quarto. Já mais tranquilo, senta-se na cadeira em frente ao computador. Na tela, aparece um homem de cerca de quarenta anos.

— Dormindo a essa hora, pai? São duas horas aí no Brasil, né?

— Já fiz muito nesta vida, Oscar. Tudo bem por aí?

Oscar usa uma camiseta com a inscrição CERN, a sigla em francês do Centro Europeu de Pesquisas Nucleares — o laboratório mais avançado do planeta, onde fica o LHC, o maior acelerador de partículas subatômicas do mundo. Foi nesse laboratório que nasceu a World Wide Web, a internet como conhecemos hoje, além do telefone celular com touch screen e outras invenções que revolucionaram nossas vidas.

— Tudo ótimo, pai. O LHC foi religado ontem. Estamos procurando partículas que comprovem a existência de universos paralelos.

— Universos paralelos? Muito interessante. Que bom, filho.

— Desculpe, pai, sei que esse assunto não te interessa.

— Claro que me interessa! Quem sabe sua mãe esteja viva num desses universos paralelos? E sua mulher também? Não é o que dizem seus colegas cientistas?

Oscar fica sério. Feridas não cicatrizadas começam a arder.

— Pai... quem sabe? Há uma série de boas teorias sobre universos paralelos. Mas, na minha opinião, mamãe e Laura eram únicas. Se existir mesmo um lugar melhor para onde os mortos vão, com certeza as duas estarão lá.

— Você tem mesmo certeza, meu filho? Logo você que é sempre cético.

— Pai, você sabe que eu só acredito naquilo que pode ser comprovado. Sou um físico experimental, esqueceu? Sou pago para testar as teorias dos maiores físicos teóricos do mundo e...

— Você não é só isso, Oscar! — interrompe Oswaldo, impaciente. — Você tem um filho que não vê há anos! O menino perdeu a mãe aos sete anos e nunca mais viu o pai! Seu filho não faz parte do seu universo. Nem neste aqui, nem nos paralelos.

Oscar reage ao impacto das palavras do pai subindo o tom:

— Peraí, pai! Ele que se recusa a falar comigo. Eu não tenho tempo de ir ao Brasil. Estou trabalhando em descobertas que podem contribuir para o futuro da humanidade.

— E quando você vai descobrir que tem um filho? Um filho tão inteligente quanto você, mas que não perdeu a noção de família?

— O Matheus está muito bem aí com o senhor, pai! Ainda é novo e já estudou ciência da computação e robótica no MIT graças ao dinheiro que eu enviei e aos amigos que tenho lá. Dou tudo que você me pede, pai. O que mais o senhor quer que eu faça? O Matheus me odeia.

— Oscar... Oscar... você acha que o Matheus não sabe disso tudo? Mas sabe de que isso adianta? De porra nenhuma! Ele sente falta de amor, meu filho! Aposto que as piores doenças do mundo são apenas a consequência da falta de amor.

— Pai! O Matheus pensa que eu matei a mãe dele. Que eu sou um assassino.

Antes que Oscar possa responder, Matheus entra decidido no quarto e, sem titubear, desliga o monitor na cara do pai.

— O que é isso, menino? Ficou maluco? Desligando na cara do seu pai?

— Esse mentiroso não é meu pai! O senhor é meu pai, vô! — A voz do rapaz é tomada pela raiva e pelo sarcasmo. — Deixa esse gênio egoísta lá no canto dele! Tomara que o acelerador de partículas crie um buraco negro que engula aquele babaca.

Matheus sai do escritório batendo a porta e vai para o quarto dele, que, por sua vez, não é nem um pouco parecido com os dos outros garotos de sua idade. Além de um supercomputador com dois enormes monitores, existe uma prateleira lotada de robozinhos de diversos tipos e tamanhos que ele criou nos Estados Unidos. Em outra prateleira, há ferramentas de laboratório e outros objetos a que pouca gente tem acesso. Em comum com os jovens de sua idade, só a bagunça e as roupas espalhadas por todos os lados. A mala de viagem ainda não foi desfeita e está aberta. Ainda chateado com a imagem do pai no computador, Matheus começa a pôr certa ordem no caos. Hesita um pouco, parecendo lembrar-se de algo. Abre um compartimento da mala e pega um pedaço de papel. É uma carta. O rapaz a lê novamente com ar preocupado.

> *Querido Matheus, estou muito preocupada com seu avô. Há três dias, antes de escrever esta carta, fui de carro com ele a um supermercado. O Oswaldo simplesmente voltou pra casa e me deixou lá. Liguei pra saber se tinha acontecido alguma coisa e seu avô havia esquecido que eu tinha ido com ele ao supermercado, acredita? Chegou até a ficar muito irritado comigo. Achei que fosse só um fato isolado, mas, depois desse dia, passou a não sair mais de casa. Parou até de atender aos meus telefonemas. Como moramos no mesmo prédio, interfonei e depois toquei a campainha do apartamento várias vezes e nada do Oswaldo atender. Depois de dias insistindo, ele finalmente abriu a porta.*

Levei um susto enorme, meu filho, seu avô parecia outra pessoa. Com barba por fazer, envelhecido... Estou muito preocupada. Sei que você é a pessoa que ele mais ama no mundo. Quando puder, venha depressa, meu filho!
Beijos carinhosos da sua tia postiça,
Margareth.

Matheus guarda a carta debaixo do colchão. Neste momento, o avô entra.

— Pô, vô! Não bate mais na porta antes de entrar, não?

O avô faz uma cara triste. Irritado consigo mesmo, pede desculpas com um aceno. Matheus, com os olhos marejados, vai até o avô e dá um abraço prolongado naquele que considera seu verdadeiro pai.

— Desculpe, vô. É que o Oscar me tira do sério.

— Ele é seu pai, Matheus.

— Não quero discutir isso agora, vô. Preciso sair.

— Aonde você vai? Acabou de chegar.

— É rapidinho, vô. Já volto.

Quando Oswaldo pensa em retrucar, o rapaz sai quase correndo pela porta da frente.

Desce um lance de escadas e toca a campainha do apartamento de Margareth. A mulher abre a porta e dá um sorriso sereno e feliz. Tem sessenta e dois anos e é uma ruiva extremamente conservada.

— Ah, meu filho! Dá um beijo na sua tia. Como você cresceu e está bonito! Cada vez mais parecido com seu avô e seu pai. — A mulher não para de olhá-lo da cabeça aos pés.

— Pô, tia! Só com meu avô. Meu pai é um babaca.

— Que é isso, menino? — A mulher fica séria. — Conheço seu avô e seu pai bem antes de você nascer. E sua mãe também, aliás. Aquela mulher tão linda e cheia de vida... Que Deus a tenha. — Ela senta no sofá e faz um gesto para que o rapaz a acompanhe. — Bem... mas e aí? Como está seu avô? Estou tão preocupada!

— Acabei de chegar, tia. Ainda não deu pra perceber nada de muito diferente. Bem... ele está mais resmungão e esquecido. Mas, fora isso, ainda não deu pra sacar nada. Do jeito que a senhora escreveu na carta, pensei que fosse encontrar meu avô de cama.

— As piores doenças são as silenciosas, meu filho. Só nos damos conta quando não tem mais jeito.

O garoto faz uma cara assustada.

— Mas tomara que você tenha razão, Matheus, e tenha sido só uma crise de ansiedade... sei lá... Aliás, o Oswaldo não nasceu pra morar sozinho. E toda vez que a gente se encontra ele fala de você com o maior orgulho.

— É, tia... Meu avô é o cara. — Os olhos do menino sempre brilham quando fala do avô. — Acho que esse negócio aí que ele teve deve ter sido por causa do meu pai. Agora mesmo vi os dois discutindo no computador. Meu pai só faz merda, tia.

— Não guarde esse ódio todo do seu pai, meu filho. Isso só vai fazer mal a você. Além do mais, pare de culpá-lo pela morte da sua mãe. Aquilo foi um acidente. Uma fatalidade.

— Acidente, tia? — A voz de Matheus expressa surpresa e raiva. — Eu estava na festa e vi meu pai beber com os amigos. Se não tivesse bebido, minha mãe ainda estaria aqui.

— Quem te garante isso? Essa vida é um sopro. É bela, porém frágil.

— Tudo bem então, tia. Qualquer novidade eu conto pra senhora, tá? Vou nessa porque estou mergulhado num projeto novo.

— Seu avô me disse que seu quarto parece um cenário de filme de ficção científica.

Matheus sorri.

— Vamos lá em casa que eu te mostro, tia.

— Ótimo. Assim aproveito e faço uma visitinha para o Oswaldo.

Depois de conversarem amenidades com Oswaldo, Margareth e Matheus entram no quarto-laboratório. Ela observa tudo com o espanto e o deslumbramento da primeira vez.

— Nossa, Matheus! Estou me sentindo num daqueles filmes de ficção científica.

O garoto sorri enquanto mexe em alguns cabos.

— Quem dera a ciência já estivesse tão avançada como vemos no cinema, tia.

— E esse robozinho aí? — Ela aponta para as mãos de Matheus.

— Este é o meu maior projeto. O nome dele é Neruda.

— Neruda? Em homenagem ao poeta?

— Exato. Estou armazenando no Nerudinha toda a obra do Pablo Neruda, poeta preferido do meu avô.

— Nossa! Que lindo! Eu também gosto muito do Neruda.

— Pois é, tia. Uma das diferenças do nosso amiguinho aqui para os de brinquedo é que ele interpreta poesias. Como se estivesse sentindo aquilo que lê, saca? E isso é só o começo. O Nerudinha ainda vai ganhar outras funções.

O robozinho levanta os pequenos braços mecânicos. Uma luzinha vermelha acende em seus olhos. Em seguida, gira sobre si mesmo e abre os bracinhos como um poeta mecânico, fazendo pose para declamar.

— É tão curto o amor, e é tão longo o esquecimento. É tão curto o amor, e é tão longo o esquecimento... — repete o robozinho.

— Bravo! Bravo! — Margareth não se contém.

Nerudinha inclina o corpo, como se estivesse agradecendo os aplausos. Logo depois, abaixa os braços e os olhos ficam escuros.

Margareth aplaude, empolgadíssima.

— Meu Deus! Mas a voz é parecida com a sua! Adoro esse verso! "É tão curto o amor, e é tão longo o esquecimento." Isso é lindo e verdadeiro. Não sabia que você gostava de poesia, meu filho.

— Pra falar a verdade, nem curto muito. Fiz pelo meu avô. Mas ficou bacana, né? Coloquei esse verso para o nosso amiguinho aqui repetir porque sei que o vô adora.

— Nossa... quando leio Neruda me lembro de tanta coisa... — O semblante de Margareth assume uma expressão sonhadora.

A conversa prossegue com tanta animação que os dois nem percebem o tempo passar, até que o toque do celular de Margareth os traz de volta.

A mulher atende tranquila, mas logo fica tão pálida quanto a névoa da manhã.

— Alô... Como assim? Ele não pode estar aí. Eu o vi faz trinta minutos.

— Que foi, tia? — pergunta Matheus, assustado.

— Tem uma pessoa, um motorista de ônibus, dizendo que seu avô está no ponto final, desorientado.

— Como assim? Meu avô está aqui. Vô!!! Vô!!! — Matheus sai chamando Oswaldo por todos os cômodos da casa.

— Ele não está aqui mesmo, tia! — diz Matheus. — Pra onde será que ele foi? Pegou o endereço?

Cerca de vinte minutos depois, chegam ao local indicado pelo motorista e encontram Oswaldo sentado num banco de cimento em frente a um ônibus. Um sujeito alto e obeso, com uniforme da empresa de transporte público, está ao seu lado. Margareth e Matheus aproximam-se mais que depressa.

— Oi! Foi o senhor que me ligou? Eu sou a Margareth, amiga dele. O que houve?

— Boa tarde, senhora. Não sei. Cheguei no ponto final e vi que o senhor aqui não saltou. Aí perguntei para onde estava indo e ele disse que não se lembrava. Então peguei o celular dele e vi um número com o nome "Margareth — Urgência".

Ao ver o neto, Oswaldo parece retornar ao mundo e abraça o jovem com força.

— Obrigada por ter me ligado. Quanto devo ao senhor? — diz Margareth, ainda nervosa.

— Deve nada não, senhora. Mas acho melhor levar esse senhor para o hospital. Acho que não está batendo muito bem.

— Acho que ele tem razão. O que você acha, Matheus? — pergunta Margareth.

Oswaldo se irrita.

— Não! Hospital não! Me leva pra casa! Eu quero ir pra casa! Foi só um susto. Estou ótimo!

— Tem certeza, Oswaldo? — insiste a mulher. — O hospital é pertinho e...

— Não! — interrompe Oswaldo. — Nada de hospital!

Margareth troca olhares resignados com Matheus e eles desistem.

Já em casa, Matheus chama o avô para o quarto.

— Vô, vem aqui que eu quero te apresentar um amigo.

— Um amigo? Que besteira é essa, Matheus? Tô querendo tomar um banho e...

— É rapidinho, vô. Deixa de ser ranzinza.

— Tudo bem, tudo bem... O que é?

Matheus aperta um dos botões do seu supercomputador e o robozinho repete a apresentação que fez para Margareth:

— É tão curto o amor, e é tão longo o esquecimento. É tão curto o amor, e é tão longo o esquecimento...

Oswaldo leva um susto e sorri. Talvez por saudade, talvez por tristeza. Ou talvez por tudo isso.

— Pablo Neruda... Grande poeta. Muito bacana, Matheus. Você é tão genial quanto seu pai.

Matheus suspira, mas não quer contrariar o avô. Prefere exaltar o robozinho.

— Olha só, vô... por enquanto ele só diz esse verso porque sei que o senhor curte. Depois ele vai declamar toda a obra do Neruda.

Oswaldo olha emocionado para o robozinho. Depois coloca a mão no ombro do neto.

— Matheus, como dizem por aí, certas frases dizem mais que livros inteiros. Esse verso é uma delas.

O jovem fica calado. Já na porta do quarto, Oswaldo para, lembrando de algo:

— Você já mostrou pra sua vó? Ela vai adorar ver isso.

— Tá viajando, vô? A vó já morreu há anos!

Oswaldo fica sem jeito, com uma expressão confusa, sem saber o que responder.

— Morreu? Claro! Claro! Ela morreu... Eu sei... Mas esse poema é da nossa época... Do tempo em que sua vó estava mais viva do que nunca e eu também.

Oswaldo sai apressado do quarto. Matheus fica preocupado, mas mal tem tempo de pensar a respeito. A campainha logo toca. Margareth aparece.

— Oi, meu filho! E seu avô?

— Estou preocupado, tia. Agora mesmo ele pensou que a vó ainda estava viva, acredita?

— Hummm... Pode ser... Às vezes o passado parece mais vivo que o presente, ainda mais para um homem com tantas recordações como o Oswaldo.

— Entendi, tia.

— Só que já passou da hora de levá-lo a um médico — conclui Margareth.

Neste momento, Oswaldo chega à sala. Margareth aproxima-se, sorridente.

— Oswaldo, querido, como você está?

Ele olha desconfiado para a mulher e faz apenas um gesto com a cabeça. Depois vira para Matheus.

— Bom... vou me deitar, Matheus. A senhora me dá licença. Boa noite.

Vira-se e vai andando na direção do quarto, deixando o neto e a vizinha perplexos.

— Matheus! — murmura Margareth. — O Oswaldo não me reconheceu? Foi isso mesmo? Meu Deus!

Oswaldo passa por uma bateria de exames no hospital. Um médico aparece com um tablet e chama Margareth e Matheus para uma sala.

— Infelizmente, as notícias não são boas. A alteração do comportamento dele tem explicação e foi confirmada pelos exames.

— O que ele tem, doutor? — pergunta Matheus, pálido.

O médico olha para os dois e dá o veredito.

— Ele está com todos os sintomas do mal de Alzheimer.

Margareth, tomada pelo choque e pela tristeza, leva as mãos ao rosto.

— E isso é grave, doutor?

— Infelizmente, é bastante grave.

— Por favor, doutor... Ainda temos tempo de tentar algum tratamento? — questiona Margareth.

— Ainda não existe cura para essa doença, infelizmente. O que podemos fazer é tentar retardar ao máximo sua evolução.

— Como assim? Retardar como? — pergunta Matheus, angustiado. — Meu avô vai ficar maluco? Doutor... o que é isso? O senhor tem...

— Calma, Matheus — interrompe Margareth. — Deixa o doutor falar.

— Matheus, o mal de Alzheimer causa a perda das funções cognitivas, como a memória, o senso de orientação, a atenção e a linguagem, causada pela morte dos neurônios. Quando diagnosticado no início, é possível retardar o avanço e controlar os sintomas, garantindo uma melhor qualidade de vida ao paciente e à família.

Matheus começa a chorar. Margareth e o médico observam o rapaz por um instante, em silêncio.

— O que isso significa exatamente, doutor? — questiona Matheus com a voz embargada. — Pode falar na lata.

— Calma, meu filho — insiste Margareth. — Deixa o doutor acabar.

— Matheus, pense no cérebro como um poderoso computador. O Alzheimer vai destruindo seus arquivos como um vírus, até que um dia apaga a memória por completo. Desculpe, mas sempre prefiro dizer a verdade para que a família se prepare.

— Entendo, doutor. Pode deixar que vamos fazer de tudo para que o Oswaldo fique bem, né, Matheus?

No dia seguinte, Margareth e Matheus estão sentados no sofá da sala assistindo a um filme. Oswaldo os acompanha de sua poltrona predileta. O diagnóstico médico ainda atormenta o neto e a vizinha, que resolveram promover aquela sessão de cinema em casa para criar um ambiente de normalidade, sem deixar transparecer a preocupação de ambos. Após dez minutos de filme, Oswaldo dá um pulo da cadeira.

— Já contei para vocês a história de como a Clarice e eu nos conhecemos? — Ele se vira para o neto. — Contei, Matheus?

— Pô, vô... E o filme? — reclama o rapaz.

Oswaldo aperta o botão de *pause* no controle remoto e continua.

— Nunca falei que nos conhecemos no Chile? — diz com a saudade, cicatriz da alma, já totalmente exposta. — Sim, foi no Chile. Em Isla Negra, onde fica a casa mais bonita de Pablo Neruda. Aliás, pouca gente sabe que o poeta adorava arquitetura e suas casas pareciam barcos.

— Casas que parecem barcos? Que irado, vô.

— Uma beleza! Vocês precisam conhecer. Enfim... A Clarice estava lá, linda, tirando fotos da casa do poeta. Por sorte ou destino, lembrei que carregava na minha maleta uma velha câmera alemã que foi do meu pai. Não perdi tempo. Comecei a fotografar o lugar de todos os ângulos possíveis e fui me aproximando daquela mulher, o único monumento que realmente me interessava.

— Que maneiro, vô! Conta mais.

Oswaldo empolga-se ainda mais com o interesse do neto e da amiga.

— Ah! O detalhe mais interessante é que eu não tinha filme nenhum na minha máquina. Estava só fazendo pose para conhecer aquela mulher diferente de todas as outras que eu já tinha visto na vida. Para minha sorte, aquela deusa de luz da Isla Negra deixou a bolsa cair. Num pulo, aproximei-me para ajudá-la. Ela sorriu para mim. Ao ver aquele sorriso, passei a ter o mais profundo desprezo por aqueles que negam a obra divina.

Oswaldo esquece o filme e vai para o quarto com um sorriso impresso pela nostalgia do eterno.

Depois que Margareth vai embora, Matheus vai para o quarto e logo ouve um toque vindo do computador. Há uma chamada para ele. Matheus suspira e hesita, mas acaba atendendo. Oscar aparece na tela.

— Por favor, não desligue, Matheus.

— O que você quer? — pergunta o jovem, frio.

— Matheus, recebi um telefonema da Margareth dizendo que seu avô está muito doente.

— Parece que é isso mesmo.

— Sinto muito, filho. Sei quanto você o ama.

— Tá. O que você quer?

— Quero saber do seu avô. A gente sempre se fala pela internet. Faz tempo que ele não atende minhas ligações. Tentei ligar para o celular e ele também não atendeu. O que está acontecendo? O que ele tem? A Margareth ficou de me ligar depois que vocês o levassem ao médico.

— Ele está muito doente — explica Matheus com a voz embargada. — Está com mal de Alzheimer.

— Mal de Alzheimer? Papai está com Alzheimer? Meu Deus do céu!

— Deus? Agora você lembra de Deus, professor doutor Oscar, o gênio da física?

Oscar mantém o tom sereno.

— Matheus, não quero discutir isso agora. Seu avô está doente, menino!

— Você nunca quis discutir porra nenhuma comigo, professor doutor Oscar. Nem te conheço direito!

— Entendo sua raiva, filho, mas eu tive meus motivos profissionais para vir pra cá. Como você teve os seus para ir pro MIT.

— Quem não tem culpa não foge. Se você não tivesse bebido, não teria batido o carro e mamãe estaria aqui.

— Você sabe que foi um acidente e que não tive culpa. Mas não quero discutir isso com você agora. Depois a gente conversa. Cadê seu avô?

— Acabou de ir pro quarto. Já deve estar dormindo. E agora tenho que desligar. Preciso trabalhar num projeto que acabei de criar para o vô.

— Posso ajudar em alguma coisa? Eu posso...

— Você? Me ajudar? Tá de sacanagem? Tchau! — Matheus fecha a janela do computador antes que o pai possa completar a frase. Depois, olha pensativo para Nerudinha e começa a trabalhar até a manhã seguinte.

Descabelado e cheio de olheiras, Matheus chega na cozinha e vê o avô sentado tranquilamente enquanto toma café. Mesmo cansado, o rapaz não consegue esconder a empolgação com o robozinho que traz nas mãos.

— Vô! Tive uma ideia para o senhor exercitar sua memória.

— Matheus, até você pensa que seu avô está maluco? Esses médicos...

— Que maluco que nada, vô. Sua história sobre como conheceu a vovó me deu uma ideia genial.

— Ué? Você não ia gravar a obra completa do Neruda?

— Mudei de ideia. Vou gravar as suas memórias, vô!

— As minhas memórias? — retruca Oswaldo, irritado. — Até você, Matheus? Fique sabendo que eu sei muito bem o que você está tentando fazer, viu?

— Sabe o quê, vô?

— Eu sei que o médico disse pra vocês que estou com Alzheimer. Aquele charlatão! A única coisa que quero esquecer é a existência dele. Estou me sentindo ótimo hoje!

— Vô, ontem o senhor não reconheceu a tia Margareth.

— Eu não reconheci a Margareth? Ficou maluco, Matheus?

— Sério, vô. — Ao ver a palidez cobrir o rosto do avô, Matheus pensa rápido. — Mas acho que foi porque o senhor estava sem óculos, vô. O senhor não tem doze graus de miopia?

Oswaldo renasce.

— Foi isso, então! Os óculos! Depois eu peço desculpas pra Margareth e...

— Esquece isso agora, vô — interrompe Matheus. — Vou precisar do senhor bem-disposto para esse novo projeto que criei. Tenho que gravar as suas memórias.

— Minhas memórias? Essa é boa! Minha vida, como a da grande maioria dos seres deste planeta, é um tédio. Pelo menos noventa por cento das nossas vidas são desperdiçadas numa rotina desprezível.

— Que baixo astral, vô. Sua história com minha avó parece coisa de cinema.

— Exatamente. É a exceção que confirma a regra. As histórias com sua avó talvez sejam os únicos fatos relevantes da minha vida.

— Para de enrolar e vamos começar logo, vô.

— Teimoso como o pai! E onde esse nosso amiguinho entra na história? — Oswaldo aponta para o robozinho.

— Ah! O Nerudinha foi promovido. Agora é uma mistura de câmera, editor e diretor.

O avô acha graça, mas logo retoma o tom sério.

— Matheus... Vá aproveitar enquanto ainda tem tempo, rapaz. O tempo é precioso e implacável. Saia um pouco daquele quarto.

— Desencana disso, vô. Vamos começar a gravar?

— Não tô dizendo? Igualzinho ao pai. Vocês brigam porque são idênticos.

— Lá vem o senhor com esse papo de me comparar com meu pai. Deixa o gênio da física lá naquele laboratório que é a igreja dele.

— Ok... ok... Mas e as garotas? Matheus, as mulheres justificam nossa existência! Um dia você vai conhecer uma que mudará sua vida para sempre. Só o amor dá sentido a essa vida de merda, porque é eterno.

Matheus não diz nada. Puxa Oswaldo pelo braço e pede que ele se sente em sua confortável poltrona, estrategicamente disposta para que o avô não se canse. Ele resmunga, mas por fim acaba aceitando.

Nerudinha já está posicionado, com seus olhos vermelhos acesos, de frente para Oswaldo.

— Está pronto, vô?

— E adianta dizer que não? Vamos lá — suspira Oswaldo.

— Ação!

Nerudinha vira-se para Oswaldo e coloca a mão no ouvido, esperando que ele comece a falar.

Oswaldo ri do inusitado robozinho e inicia suas histórias. Matheus ouve tudo com atenção.

Entre as idas e vindas de Margareth e as pausas para refeições, a gravação dura exatos três dias. Matheus fica entusiasmado com o resultado.

— Show de bola, vô! Tenho horas e horas de gravação aqui. Suas histórias são incríveis! Acho que vou criar um e-book também e...

— Nem pensar! Chega de ideias. Quero paz.

Uma semana depois, Matheus, muito nervoso, toca a campainha da casa de Margareth.

— Tia! Vem depressa! Aconteceu alguma coisa com meu avô!

— O que houve? Calma, meu filho. Vamos ver o Oswaldo.

Os dois sobem as escadas do prédio às pressas. Margareth chega ao andar de cima primeiro que Matheus, num daqueles momentos da vida em que desprezamos nossas próprias limitações físicas. Quando abrem a porta do quarto, Oswaldo está deitado com os olhos bem abertos, contemplando fixamente o vazio.

— Olha isso, tia! Vô, fala comigo!

A mulher olha Oswaldo bem de perto. Segura as mãos do amigo, preocupada. Ela coloca a mão direita no ombro de Matheus e com a esquerda pega o celular para chamar uma ambulância.

Oswaldo continua de olhos abertos, piscando de vez em quando, mas sem se fixar em nenhum ponto. Quando os paramédicos chegam, Matheus e Margareth tentam explicar o que aconteceu. Um dos homens aconselha Margareth a ligar para o médico particular de Oswaldo e encontrá-los no hospital.

Muito nervosos, Matheus e Margareth pegam o carro e seguem a ambulância.

Já dentro do carro, Margareth tenta quebrar o silêncio.

— Estou impressionada, Matheus. O Oswaldo sempre teve uma saúde invejável.

— Mas agora ele parece estar completamente off — diz Matheus.

— Pois é, meu filho... A vida é assim. Às vezes tudo muda no intervalo de um minuto.

Logo após cruzar as portas do hospital, os dois encontram o médico que deu o diagnóstico da terrível doença.

— Dr. Fernando! O senhor já viu o Oswaldo? — pergunta Margareth.

Matheus pula na frente do médico, apavorado.

— Como ele está, doutor? Meu avô vai morrer, doutor? Pode me falar tudo.

— Infelizmente, o quadro do Oswaldo se agravou muito. Parece que houve perda quase total das funções cognitivas.

— Isso significa que ele vai morrer hoje, doutor? — Matheus começa a chorar.

O médico olha pensativo para a dupla. Com um tom sereno, mas longe de ser indiferente, esclarece:

— Matheus, seu avô não vai morrer hoje, mas agora o quadro tende a piorar a cada dia. Ele vai precisar da ajuda de vocês para tudo, até para fazer as necessidades básicas. Dificilmente vai voltar a reconhecer alguém. Sinto muito por dar notícias tão ruins.

Em casa, Matheus desmonta, nervoso, vários dos robôs do seu quarto, exceto Nerudinha. Numa das telas do computador aparece o cérebro humano, na outra, um esquema de um cérebro mecânico. Liga o robozinho com o computador e a imagem do avô falando aparece ao lado do cérebro mecânico. Matheus leva as mãos à cabeça quando uma mensagem de erro aparece na tela. Soca a mesa do computador e espalha as peças dos robôs pelo quarto.

Ele passa horas trabalhando sem parar, sem atingir nenhum resultado relevante. Por fim, decide navegar um pouco pela internet e encontra uma entrevista bastante interessante com um famoso neurocientista. Empolga-se com o que lê e começa uma verdadeira saga virtual para localizá-lo. Após uma busca que parece levar horas, consegue um endereço de e-mail e envia seu projeto.

Para surpresa de Matheus, dois dias depois, recebe uma resposta: um convite para encontrar o professor Nicodemos pessoalmente em São Paulo.

Matheus fala então com Margareth, que lhe promete ajudar as enfermeiras nos cuidados com Oswaldo. Matheus arruma uma mochila, guarda Nerudinha lá dentro e sai apressado.

Já na capital paulista, toma um táxi até o endereço do professor, onde é recebido pelo próprio.

— Matheus? Como você se parece com seu pai.

Além de ansioso e acelerado, o rapaz fica assustado.

— O senhor conhece o meu pai?

— Claro! Seu pai e eu nos encontramos algumas vezes quando estive no CERN. Aliás, foi seu pai quem me apresentou aos maiores cientistas de lá. E ainda colaborou com as minhas pesquisas. Ele me falou muito bem de você. Disse que o verdadeiro gênio da família em breve começaria a brilhar.

— Meu pai disse isso?

— Disse. E preciso confessar que só estou recebendo você aqui hoje porque ele me pediu.

Matheus, completamente surpreso, não dá o braço a torcer e pensa consigo mesmo: "Legal, mas isso não muda em nada minha opinião sobre o Oscar".

— Olha, professor... Desculpe, mas podemos falar sobre meu projeto? Estou cheio de dúvidas...

— Matheus, a gente não estuda para tirar dúvidas, e sim para acabar com as certezas.

Matheus concorda com a cabeça e começa a falar rápido, buscando ar nas raras pausas que seu pulmão suplica. O professor ouve tudo atentamente, sem interromper, até que por fim Matheus conclui seus pensamentos e volta a respirar, por assim dizer.

— É isso, professor. Um cérebro artificial capaz de armazenar o que gravei do meu avô para depois reimplantar essas informações no cérebro dele quando descobrirem a cura do mal de Alzheimer. Mas não tenho como desenvolvê-lo sem sua ajuda.

O professor faz um gesto e Matheus se cala.

— Calma, rapaz. Bem que o Oscar falou que você é agitado como ele. E criativo também. Seu projeto é brilhante.

— Poxa, muito obrigado, professor. O senhor poderia me ajudar?

O cientista olha para o chão durante alguns segundos antes de responder.

— Matheus, ainda não chegamos à cura do Alzheimer. Vou falar de cientista para cientista: não tenho como salvar seu avô. Lamento muito. Não vai dar tempo.

O rosto de Matheus é tomado por uma tristeza profunda.

— Mas, professor... você disse que meu projeto era brilhante — diz Matheus, num fio de voz.

— Continuo achando isso. Considero muito nobre ver um jovem cientista, seja por qual for o motivo, não se acomodar e não se conformar com o que dizem ser impossível. Mesmo que no momento a tecnologia disponível diga o contrário.

— Quer dizer que é impossível armazenar as memórias do meu avô num cérebro artificial? Eu tentei, mas falhei...

— Todo cientista falha o tempo todo, Matheus. Vá se acostumando com isso.

— É, já ouvi isso antes.

— Acho difícil você conseguir salvar a vida do seu avô. Mas você pode manter a memória dele viva de uma forma muito interessante.

— É mesmo? Como?

O professor vai até um computador e abre uma tela.

— Fiz algumas alterações no seu projeto original que acho que vão funcionar muito bem. Não exatamente como você espera, mas garanto que vai se surpreender.

Matheus não desgruda os olhos do computador até o professor abrir uma gaveta e pegar um microchip.

— Implante isso no seu robozinho simpático. É Nerudinha o nome dele, né? Acredite. Depois disso você vai conseguir algo muito além de uma simples gravação das falas e imagens do seu avô.

O rapaz agradece e volta todo animado para sua cidade. Ao chegar em casa, entretanto, essa empolgação evapora por completo. Ele encontra Margareth, Oscar e uma enfermeira no quarto de Oswaldo, que tem o corpo coberto por um lençol. Após um instante paralisado pelo assombro, entra em desespero e não sabe como externar tanta dor. Até que abraça Oscar e os dois choram juntos por um longo momento.

Seis meses depois da morte do avô, Matheus realiza um dos desejos de Oswaldo: começa a sair mais de casa. Até uma namorada o rapaz arranja. A escolhida é Mariana, uma loirinha muito bonita e simpática, colega de Matheus num dos laboratórios de neurociência do professor Nicodemos. Estão juntos há apenas cinco dias. A menina é a alegria do lugar. Quando sorri, revela aquele difícil equilíbrio entre seriedade e leveza. Faz muitas brincadeiras com Matheus, que logo tira a máscara de falso cientista sisudo e entra na mesma sintonia. Ele a pediu em namoro dentro do elevador, "Mais ou menos no sétimo andar, mas eu só disse sim no térreo", como ela costuma dizer, para a risada geral dos colegas de laboratório.

Após mais um dia de trabalho, os dois saem juntos.

— Quer ir ao cinema, Matheus? Preciso dar uma relaxada. Ou será que você prefere uma namorada cientista louca? — A menina solta uma gargalhada com seu bom humor de sempre.

— Você é uma figura, sabia? — A falta de jeito de Matheus é evidente e encanta Mariana. — Cinema agora, Mariana? Sei lá...

A garota não desiste e mantém o sorriso impecável.

— Meu geniozinho não pode desligar um pouquinho a mente brilhante e assistir a um filminho comendo pipoca com a namorada?

— Para de me chamar assim! Se eu sou geniozinho, o Einstein é o quê?

— Um geniozão, ué!

Matheus ri.

— Não adianta. Você sempre me vence nos debates.

— Venço mesmo. Bora para o cinema! Chega de namorar nos cantinhos do laboratório.

Na sala de exibição, Matheus olha para a tela, mas só consegue pensar no avô. "Só o amor dá sentido a essa vida de merda." Isso é o suficiente para o rapaz puxar Mariana e lhe dar o primeiro beijo apaixonado da vida.

Na saída do cinema, Matheus tem uma sensação estranha. Algo como uma alegria sem limites acompanhada de uma forte angústia, o que alguns psicólogos chamam de paixão.

— Mariana, preciso ir pra casa urgente.

— Que foi, Matheus? Você está pálido. Vou com você. Cadê seu pai?

— Está cuidando da mudança para o Brasil, lembra?

Ao entrar em casa, ele pede que Mariana espere na sala. A garota aceita, mas começa a andar de um lado para o outro, intrigada.

No quarto, Matheus pega Nerudinha e insere o microchip criado pelo professor Nicodemos. Um holograma do avô aparece na parede vazia do quarto. É o oráculo criado por Matheus e o professor Nicodemos para que o rapaz mantenha viva a sabedoria do avô e possa consultá-lo em momentos como aquele.

— O que foi, Matheus? — pergunta o oráculo do avô.

Matheus se movimenta pelo quarto, inquieto. Começa a falar com o avô quase num sussurro.

— Vô, você tinha razão! As mulheres são tudo de bom. Eu tô namorando, viu? O nome dela é Mariana. Inteligente, bonita e bem-humorada. A vó Clarice devia ser assim também, né?

Matheus caminha pelo quarto, nervoso.

— Acho que estou apaixonado... Ou será que é amor? Como saber a diferença? O que eu faço, vô? É verdade que a felicidade sempre muda de lugar quando a alcançamos? Existe uma fórmula elegante para o amor? Vô, o senhor é a única pessoa do mundo que pode me ajudar — suplica.

Curiosa, Mariana entra silenciosamente no quarto, pé ante pé, para que o rapaz não perceba. A garota leva um susto ao ver a cena, mas consegue manter-se em silêncio.

O holograma-oráculo de Oswaldo sorri e fica pensativo. Com a ajuda do computador, Nerudinha encontra rapidamente a melhor resposta em sua memória.

— Matheus, as mulheres justificam nossa existência! Um dia você vai conhecer uma que mudará sua vida para sempre. Só o amor dá sentido a essa vida de merda, porque é eterno.

Mariana, a menina que sempre sorri, chora.

— É tão curto o amor, e é tão longo o esquecimento. É tão curto o amor, e é tão longo o esquecimento... — finaliza o óraculo.

A imagem do avô some e Nerudinha se inclina, esperando os aplausos.

Mentes obsessivas

O homem olha para os dois lados no corredor do prédio onde mora. Não há câmera no local. Vai até a lixeira, pega duas embalagens de pizza e um pote de sorvete e coloca tudo dentro de uma sacola. Fecha a lixeira bem devagar e, sem deixar de olhar de novo em todas as direções, volta sorrateiro para seu apartamento.

As madrugadas de domingo para segunda são sempre assim. Sabe que os vizinhos do mesmo andar têm o costume de pedir pizza. Por isso, sempre vai na lixeira revirar os dejetos à procura de embalagens. Não só de pizza, mas potes de sorvete, caixinhas de sanduíche ou qualquer outro tipo de material, desde que seja reciclável. Mal sabe o homem que uma das vizinhas, dona Olga, uma senhora de oitenta anos, todos os dias observa seu estranho hábito pelo olho mágico.

Sandra tem quarenta e sete anos. É casada com Marco Antônio, de cinquenta, e tem dois filhos: Rafael, de vinte e dois, e Sophia, de vinte. São uma família de classe média que, como muitas outras, enfrentam um longo período de dificuldades financeiras.

Com um golpe de sorte e muita obstinação, Rafael e Sophia conseguiram bolsas de estudo numa excelente universidade dos Estados Unidos. Assim, as despesas diminuíram, embora não o suficiente para mudar o patamar financeiro do casal. O motivo: Sandra sustenta a casa sozinha, trabalhando como gerente de um banco, e ainda dá aulas particulares de matemática para complementar a renda. Quanto a Marco Antônio, nunca tem um centavo no bolso, embora saia para trabalhar todos os dias, religiosamente na mesma hora. A mulher vê a determinação do marido nessa imagem perfeita do pai de família dedicado, mas sem muita sorte.

"É a crise", diz Sandra para as amigas e para si mesma. Ama tanto o marido que não se importa em bancar a casa. E depois que os filhos foram para os Estados Unidos sua atenção está toda voltada para Marco Antônio.

Tudo isso povoa a mente de Sandra enquanto toma café da manhã à mesa. Tem os pensamentos interrompidos com a chegada de um apressado Marco Antônio. O homem, como sempre, veste-se de maneira impecável. Terno simples, mas muito bem passado. Gravata perfeitamente no lugar, cabelo penteado com gel e rosto bem barbeado, liso como bumbum de bebê. Sandra fica um tempo em silêncio contemplando o marido, que senta sempre no mesmo lugar e logo depois lhe dá bom-dia.

— Bom dia, Marco Antônio. — A mulher gosta de dizer o nome composto do marido porque, segundo ela, Cleópatra com certeza fazia o mesmo. — Que pressa é essa?

— Tenho que ser rápido porque estou atrasado, Sandra.

— Você sempre diz isso. Comer depressa faz mal. Calma, assim você vai acabar engolindo o guardanapo junto.

— Como assim engolir o guardanapo junto? — pergunta Marco Antônio, pálido.

— Ih, querido. É maneira de falar.

O homem não diz nada. Engole o último pedaço de pão, põe o guardanapo de papel no bolso e levanta-se da mesa num pulo. Sandra fica em silêncio enquanto acompanha com os olhos o marido sair apressado. Seu rosto é uma mistura estranha de orgulho e preocupação.

Numa manhã de domingo, Sandra encontra Mariza, amiga de longa data e vizinha de rua, na porta da padaria. As duas conversam animadamente até que Mariza comenta sem maldade e de forma displicente:

— Ah, Sandrinha, sabia que mudei meu consultório para Copacabana? Foi a melhor coisa que eu fiz. É impressionante como tem gente precisando de psicóloga naquele bairro, sabia? —As duas riem e Mariza continua como que tocada por uma lembrança. — E pelo visto o Marco Antônio teve a mesma ideia, né? Ainda não falei com ele, mas nos cruzamos algumas vezes por lá. O escritório onde ele trabalha mudou pra Copa também?

Sandra fica visivelmente desconcertada, desorientada, desnorteada. Responde no modo automático:

— Que eu saiba, não.

Mariza nota o constrangimento e a palidez repentina da amiga e procura dar outro rumo à prosa.

— Humm...Vai ver que ele deve sair pra atender algum cliente por lá, né?

— Acho que não. Marco Antônio diz que só sai do escritório para almoçar e voltar pra casa — responde Sandra com voz fraca.

— Ih, amiga, desculpe. Parece coisa de fofoqueira. Que vergonha!

— Que é isso, Mariza? Você é como uma irmã pra mim. Deixa dessas coisas. Depois eu converso com o Marco Antônio. Relaxa.

— Olha lá, hein, amiga? Não quero trazer problemas pra você.

— Bobagem. Mas conta mais. E o Rubens? Está tudo bem com vocês?

— Tudo ótimo. Ótimo mesmo. Olha, adorei te ver, amiga, mas tenho que ir.

— Claro! Beijos, querida. A gente se fala.

Mariza vai embora toda sem jeito e Sandra fica parada na porta da padaria, sem lembrar o que tinha ido comprar.

Sandra volta para casa e vê o marido no sofá com uma caixinha de sanduíche nas mãos. O homem analisa o objeto por todos os lados. A TV está ligada no canal que ia transmitir o jogo do Flamengo, time pelo qual Marco Antônio torce com fanatismo.

— Oi, querida. Que susto! — diz o homem, escondendo a caixa vazia debaixo das pernas.

— Comendo sanduíche, Marco Antônio? A geladeira está cheia de comida e eu ainda comprei umas coisas na padaria.

— Eu sei, amor, mas você sabe como eu fico nervoso na hora do jogo do Mengão. Olha! Começou!

Alguém toca a campainha.

— Deve ser o Carlinhos. Vou dar aula pra ele hoje.

— Hoje? Na hora do jogo do Flamengo? Mas o menino é flamenguista doente!

— Por isso mesmo. O Mendonça disse que ele só tem tirado nota baixa na escola. E, como castigo, vai ter aula comigo na hora dos jogos.

— Coitado do garoto. Mas a verdade é que o Mendonça fica puto porque é vascaíno e o filho é flamenguista.

Sandra não responde e abre a porta para receber Carlinhos. Depois que os filhos viajaram, ela transformou o quarto da filha num escritório para dar as aulas particulares. Entra com o menino e fecha a porta para que o som da TV não o distraia. A aula mal havia começado quando Sandra e o garoto ouvem o grito de gol e a comemoração explosiva de Marco Antônio. O garoto morde a caneta, doido para ver o replay.

— Calma, Carlinhos — diz Sandra. — Se você estudar e tirar notas boas, logo vai poder assistir aos jogos do Flamengo de novo. Além disso, mais tarde você vê os gols na internet.

O garoto não fica muito animado com a ideia, mas pelo menos volta a prestar atenção nas explicações de Sandra. Ela, por sua vez, tenta disfarçar a alegria e o sorriso de menina levada por um simples motivo: toda vez que o Flamengo ganha é garantia de uma maravilhosa e intensa noite de sexo com o marido, que se transforma num verdadeiro Marco Antônio da Cleópatra. "Não sou de ferro", diz para si mesma. "Acho que mereço mesmo algo que me dê prazer nesta vida. Ninguém veio ao mundo só pra trabalhar e pagar contas."

— Meeeeeeengooooooo! — berra o marido após mais um gol. — Hoje vai ser de goleada!

Sandra sorri e não consegue mais conter a euforia com as promessas da noite.

— Vai ser de goleada mesmo! E bota goleada nisso!

— O quê, tia Sandra?

— Nada, Carlinhos. Termina de resolver o problema, vai. Aí depois quem sabe eu não deixo você assistir ao fim do jogo, hein?

— Oba! Beleza, tia!

Quando o jogo acaba e Carlinhos vai embora todo feliz com a goleada de cinco a zero do Flamengo, Sandra encontra o marido completamente transformado. Com duas taças de vinho nas mãos, impávido como um rei que vence uma grande batalha, agarra a mulher por trás, antes de levá-la para o quarto e partir com tudo para o ataque. Intenso e incontido e incansável como o Flamengo quando empurrado por sua fanática torcida no Maracanã.

Na manhã seguinte, Sandra observa, pensativa, o marido no café da manhã. Lá está ele, sentado no mesmo lugar de sempre com o rosto liso, pálido e impecavelmente barbeado. Ao lado, sua inseparável maleta 007. Quando a mulher pensa em puxar o assunto de Copacabana, Marco Antônio diz que está na hora de ir. Dessa vez, Sandra vai com ele até a porta.

— Eu vou descer daqui a pouco. Tenho que chegar no banco mais cedo hoje.

Dá um beijo no marido e fecha a porta. Suas feições deixam claro que o encanto da noite anterior já havia ido para o espaço. A conversa com Mariza criara uma sucessão de possibilidades desagradáveis em sua cabeça. Quando chega no trabalho, não consegue esconder a preocupação. Alguns colegas perguntam se está tudo bem e isso faz com que Sandra se esforce para disfarçar melhor todo seu descontentamento.

Quando o banco fecha, lembra de um amigo de infância: Paulo César, uma tremenda figura, que ela e os amigos de um grupo do WhatsApp chamam carinhosamente de PC. Recorda-se que, numa das conversas, PC dissera ser um detetive particular e vivia oferecendo seus serviços para o pessoal do grupo.

"Ou você trai ou é traído", costuma afirmar PC, enfático, citando Nelson Rodrigues.

O pessoal do grupo diz que PC usa essa frase do maior dramaturgo brasileiro como um mantra. O homem posta um emoticon sorridente e responde: "Preciso sobreviver, pessoal".

Na última vez em que entra no grupo, Sandra fica sabendo que PC expandira os negócios e agora tem como sócio um hacker de dezenove anos, Julinho, especialista em descobrir traições virtuais. A coisa funciona assim: o garoto puxa uma pista no mundo virtual e PC sai para investigar no mundo real. "Tripliquei o número de clientes em uma semana", gabava-se o amigo.

Como não pode falar abertamente no grupo sobre seu problema, Sandra resolve ligar para PC e marca um encontro num bar perto da casa do detetive. Rapidamente, ela resume tudo que está acontecendo.

— Porra, Sandra... O Marco Antônio? Investigar amigo pega mal pra cacete.

— Para com isso, PC. Além do mais, você é muito mais meu amigo do que do Marco Antônio. E ele nem usa WhatsApp.

— É, esqueci que o Marco Antônio ainda está na Idade Média.

— Por favor, PC, eu preciso tirar essa dúvida que está atrapalhando muito minha vida. Nem trabalhar direito eu consigo.

PC olha para a amiga e acaba com o chope num gole só.

— Tudo bem, Sandra. Me passa o endereço do trabalho, o e-mail, número do celular e tudo que você tiver de informação do Marco Antônio.

Sandra passa as informações e PC anota tudo no seu tablet.

— Mais alguma informação útil?

— Não, meu amigo. Só isso.

— Ótimo, então. Amanhã eu começo — diz PC, pagando a conta e já se levantando.

— Espera! Quanto lhe devo?

— Sandra, você é minha amiga de infância...

— Nada disso! Faço questão de pagar como um serviço qualquer.

— Os meus serviços não são qualquer um. — O homem sorri, orgulhoso. — Mas tudo bem. Você me paga a metade do que eu cobro normalmente e ponto final.

Dois dias depois, PC liga para Sandra, e, enquanto Julinho envia as fotos de Marco Antônio entrando e saindo de um prédio em Copacabana, passa o endereço e o número do apartamento que ele frequenta.

— Sandra, o edifício é cem por cento residencial.

— Sério, PC? Então o que ele anda fazendo lá?

— Isso eu não sei. O porteiro disse que tem um monte de garotas de programa morando lá, mas isso não quer dizer nada.

— O quê? Tá maluco, PC? — grita Sandra, esquecendo-se de que está no trabalho.

— Calma, querida. Me aponte um edifício em Copacabana que não tenha pelo menos uma garota de programa.

Sandra agradece e desliga. Não consegue rir do comentário irônico do amigo. Começa a ver as dezenas de fotos do marido entrando e saindo do edifício de Copacabana. Então a dúvida se transforma em certeza absoluta. Está sendo traída. Chama então uma outra gerente com quem tem um bom relacionamento.

— Camila, preciso sair urgente. Você pode atender os meus clientes, por favor?

— Claro, Sandra — responde a colega. — Aconteceu alguma coisa?

— Não sei. Não estou me sentindo muito bem. Tem algum problema pra você?

— Nenhum, amiga. Pode ir. Melhoras, tá? Qualquer coisa, liga.

Sandra pega um táxi e vai até o escritório de Marco Antônio no centro.

— Como assim aqui não trabalha nenhum Marco Antônio? — Ela quase berra para a recepcionista. — Você está brincando comigo, menina?

Ao ouvir a confusão, um velho colega de trabalho de Marco Antônio que Sandra conhecia vem espiar o que está acontecendo na recepção.

— Sandra! Quanto tempo! O que houve?

— Oi, Meireles. Cadê o Marco Antônio?

— O Marco Antônio? Ele ficou de vir aqui hoje?

— Claro, Meireles. Você também está contra mim?

— Calma, Sandra. Não estou entendendo. Por que o Marco Antônio viria aqui hoje? Aliás, fala praquele sacana aparecer. Faz mais de cinco anos que a gente não se vê.

Sandra fica completamente pálida e seu rosto é o retrato da confusão.

— Como é que é, Meireles?

— É isso, Sandra. O sacana não aparece nem pra tomar um café desde que saiu daqui.

Sandra olha para a recepcionista, que estava quase tão lívida quanto ela, talvez por ter entendido o que estava acontecendo. Mais nervosa ainda, Sandra diz que está com pressa e sai correndo dali. Já no elevador, escuta Meireles gritar:

— Fala praquele sacana aparecer, tá?

Sandra anda pela rua desnorteada. Liga para o celular do marido, mas, como sempre, está desligado.

Enfurecida, liga para a emergência:

— PC! Me encontra daqui a meia hora no bar perto da sua casa.

— O que houve, Sandra? Você não fez nenhuma merda, né?

— Claro que não, PC! Mas preciso de você, amigo!

— Ok, ok... Tô indo pra lá.

No bar, Sandra permanece muito nervosa. PC tenta acalmá-la usando toda sua experiência com pessoas traídas.

— Calma, Sandra. Não há nenhuma prova concreta de que o Marco Antônio esteja com outra mulher.

— Como não, PC? Há cinco anos ele sai de casa na mesma hora, cheiroso e bem-vestido, dizendo que está indo trabalhar. Você acha que ele vai fazer o que nesse prédio, hein? Rezar?

— Eu não descarto nenhuma possibilidade, amiga — diz PC, como se um flash de todos os casos anteriores estivesse passando por sua cabeça. — Já vi de tudo nessa minha profissão, Sandra. Ainda mais agora que estou aprendendo os segredos da internet com o Julinho.

— Tudo bem, PC. Mas pelo menos você vai comigo até o apartamento de Copacabana para eu dar um flagrante no corno escroto do meu marido?

— Ah, não! Isso eu não posso fazer. Vai contra minha ética profissional.

— Por favor, PC!

— Sem chance — responde irredutível, levantando-se para ir embora.

— Sacanagem, PC! Então vou arranjar outra pessoa pra ir comigo.

O amigo olha sério para ela.

— Uma coisa eu aprendi nesses anos todos de profissão, Sandra: nem sempre onde há fumaça há fogo.

Sandra fica calada e acompanha impotente o amigo ir embora. Vira o copo e sai do bar cambaleando, embora tivesse bebido apenas um chope. Pega um táxi para casa. Quando entra na sua rua, vê Mariza saindo da padaria. Pede que o motorista encoste o carro enquanto chama a amiga aos gritos.

— O que houve, Sandra? Que susto!

— Amiga, você tinha razão! Preciso de você.

— Calma, Sandra. Vamos lá pra casa e...

— Não! Não tenho tempo a perder — interrompe Sandra, desesperada. — Você tinha razão! O Marco Antônio está me traindo.

— Calma aí. Eu não disse isso...

Sandra puxa a amiga para a esquina e conta tudo. Mariza ouve, espantada, o relato da amiga e concorda que a possibilidade de traição é muito grande.

— Mariza, você vai lá comigo?

— Eu?!

— É. Quero dar um flagrante no filho da puta do Marco Antônio.

— Amiga, desculpe, mas já te disse. Não quero causar a separação de ninguém.

— Você também vai me abandonar, Mariza? — Sandra começa a chorar.

Mariza olha para os lados, preocupada. Gosta muito de Sandra e tem que ser sincera com a amiga.

— Amiga, preciso confessar uma coisa pra você.

Sandra dá uma risada estranha.

— Ah, não! Só falta me dizer que a mulher com quem o Marco Antônio está me traindo é você!

Mariza fica indignada.

— Tá louca, Sandra? Jamais desejaria um homem como ele. Digo isso como psicóloga e amiga. Acho seu marido muito esquisito.

— Esquisito? Esquisito por quê?

— Sabe a sua vizinha, a dona Olga?

— O que tem ela?

— Ela é minha paciente há muitos anos.

— E daí? Eu mal a vejo.

— Pois é, mas ela vê muito o Marco Antônio.

— A dona Olga?

— Sim. Ela sofre de insônia. — Mariza baixa o tom de voz. — Eu nem devia estar te contando isso por ética profissional.

— Conta logo, Mariza! Ninguém vai saber! — diz Sandra impaciente.

— Bom... Ela sofre de insônia crônica e me disse que já viu várias vezes o Marco Antônio na lixeira de madrugada, revirando o lixo.

— O Marco Antônio na lixeira de madrugada? A dona Olga deve estar gagá.

— É sério, amiga. Ela me disse que ele pega um monte de embalagens na lixeira.

— Embalagens?

— Sim, embalagens de pizza, sorvete, lanches... Ela vê tudo pelo olho mágico.

— Impossível. Se ele pegasse esse montão de lixo eu perceberia, né?

— Hummm... Pois é. Isso tudo é muito estranho.

— Acho que está todo mundo ficando louco, viu? Deixa pra lá! Eu vou sozinha.

E vai embora com passos decididos, virando as costas para a amiga, que fica sem ação.

Para a surpresa e o alento de Sandra, quando entra em casa, seus dois filhos estão lá.

— Surpresa! — gritam os dois ao mesmo tempo, dando abraços e beijos na mãe.

— Meninos, que saudade! Voltaram antes? O que houve? — Os dois nem respondem, começam a contar empolgados suas histórias nos Estados Unidos, enquanto abrem as malas e tiram alguns presentes que trouxeram para a mãe.

— Mãe, foi muito show! — diz Sophia.

Sandra esquece seus problemas por um tempo, ouvindo os filhos contarem suas histórias cheios de alegria e empolgação. Até que Marco Antônio entra em casa. Os filhos correm para abraçar o pai, que também demonstra surpresa. Toda a alegria daquele momento abandona a mulher. Sandra observa a cena sem conseguir esconder uma expressão de raiva. Para não jogar água fria na empolgação dos filhos, simula uma dor de cabeça e vai dormir mais cedo. Os meninos continuam com o pai na sala, animados.

Na manhã seguinte, depois que Marco Antônio sai de casa, Sandra não aguenta mais. Como uma represa que se rompe, começa a chorar ainda sentada à mesa do café da manhã. Os filhos levam um susto e trocam olhares confusos.

— O que houve, mãe? — pergunta Sophia. — Sabia que alguma coisa estranha estava acontecendo. Desde ontem tenho notado algo esquisito no seu olhar.

— Verdade, mãe. Conta pra gente, vai! — pede Rafael.

Os dois abraçam a mãe, que finalmente pode chorar à vontade. Em seguida, ela conta suas descobertas em detalhes para os filhos.

Sandra, o porteiro do prédio com uma caixa de pizza nas mãos e os dois filhos tocam a campainha do apartamento de Copacabana. Marco Antônio abre a porta despreocupado, pois o porteiro sempre trazia sua comida exatamente naquela hora, todos os dias. Ao ver a família, leva um susto tão grande que sai correndo para dentro do apartamento. No caminho, tropeça na sua inseparável maleta 007, que cai para o lado, aberta, revelando seu conteúdo: um monte de embalagens vazias. Aliás, o apartamento parece um depósito de lixo reciclável, com pilhas de potes de sorvete, caixas de pizzas, embalagens de sanduíches, sacolas e todo tipo de detritos não orgânicos. Sandra, os filhos e até o porteiro olham para tudo como se tivessem entrado em outra dimensão, num universo paralelo.

— Olha isso, gente! — diz Sophia com a caixa de pizza nas mãos. — Essa tampa aqui está com uma etiqueta de promoção de quatro anos atrás.

Rafael se aproxima, curioso.

— É mesmo! E olha só o preço! Hoje custa o triplo.

Sandra continua paralisada, confusa, sem saber o que fazer ou dizer.

— Olha só isso aqui. — Sophia pega outra embalagem. — Essa sorveteria já mudou a logomarca há séculos. E essa embalagem é de sete anos atrás!

— Pai, o que significa isso? — pergunta Rafael. — Que loucura!

— Isso é uma maluquice mesmo, pai! — Sophia revira outras embalagens.

Rafael examina aquele homem com olhar desesperado, abraçado de forma patética àquelas embalagens, e sente uma intensa vergonha. Ele se vira para a mãe e tenta consolá-la.

— Pelo menos não tem mulher nenhuma aqui, né? — diz o rapaz, tentando ver algo de bom naquele caos.

— E daí, Rafa? — diz Sophia. — Nosso pai é um mentiroso! Há anos diz que vai trabalhar e todo dia vem pra cá se esconder no meio do lixo. Juro que preferia encontrar outra mulher aqui do que...

— É mesmo? — interrompe Rafael, sem desistir do seu argumento. — Pergunta pra mãe se ela preferia encontrar outra mulher aqui! Ela estava triste justamente porque achava que estava sendo traída. Não é, mãe?

— Beleza, Rafa — diz Sophia. — Isso aqui não é traição. Mas é... é uma loucura, não é, mãe?

Sandra olha para os filhos, mas não consegue dizer nada. Aproxima-se do marido e fica estarrecida ao reconhecer a caixa de uma TV que dera de presente a ele quando completaram cinco anos de casados. Marco Antônio abraça a embalagem da TV com força e com uma expressão de pavor jamais vista por Sandra. O porteiro aproveita para sair de fininho.

— Sophia, me ajuda aqui. — Decidido, Rafael resolve fazer alguma coisa para acabar com a vergonha da mãe. — Vamos jogar essa merda toda fora!

Ao ouvir isso, Marco Antônio dá um salto digno de um acrobata.

— Não! Ninguém joga nada fora! Ninguém joga nada fora! — grita em total desespero, abrindo os braços para proteger os milhares de embalagens vazias.

Mentes disformes

Não, não é de agora e tampouco por vaidade. Embora jamais tenha deixado transparecer publicamente, João contraria o dito popular segundo o qual "todo gordo é feliz". Aliás, no século XXI, a revolução digital e os avanços da medicina estética criam o narcisismo insaciável, que encontra em cena todos os holofotes e aplausos nas redes sociais. João não quer ficar *démodé* e logo compra um smartphone top de linha com câmera de alta resolução. Mas tudo que consegue é um eufemismo visual. Humilhado pelo desfile instantâneo de corpos perfeitos e com a autoestima do tamanho de um átomo, resolve abandonar essa corrida insana quando descobre, aos trinta anos, que sofre de obesidade mórbida. Chega a embarcar no mundo das infinitas dietas que prometem maravilhas, como uma barriga negativa em três semanas. Desiste tão depressa quanto inicia todas elas, mas não entra em desespero nem cai em depressão. Descobre que há todo um mercado para obesos. Passa a comprar roupas, sofás, camas e tudo o mais em lojas voltadas para o público *plus size*. Mas essa sensação de pertencimento evapora-se precisamente no dia em que completa quarenta anos. Nem mesmo todo o amor da mulher Andrea, uma morena bonita de trinta e cinco anos e completamente apaixonada, aplaca essa sensação ruim. Andrea diz com orgulho para as amigas que João enfrenta com muita personalidade a ditadura da beleza magra.

No dia da festa, João passa um longo tempo no banheiro, contemplando o espelho. O evento transcorre normalmente, tanto no mundo real, com a presença dos amigos mais queridos do casal, como no mundo virtual, com mensagens de parabéns pelo WhatsApp.

Na manhã seguinte, quando Andrea chega à copa para o café da manhã, João já está sentado à mesa, ansioso e distante. Goreti, a empregada, já havia arrumado tudo desde cedo.

— Bom dia, Goreti, bom dia, meu amor. — Andrea dá um beijo na testa do marido. — Acordou tão cedo. Pensei que depois da festa de ontem você fosse dormir até altas horas. Esqueceu que hoje é domingo?

João dá um sorriso discreto e pega o tablet sobre a mesa.

— Andrea, tomei uma decisão. Vou fazer uma cirurgia bariátrica.

— O quê? Sério, amor? Pra quê?

— Pra quê? Olha pra mim, Andrea. — Ele se põe de pé, irritado. — Você não vê nada de errado?

— Meu amor, você é o marido mais fofo do mundo — diz a mulher, com carinho e sinceridade.

— Chega! — João dá um soco na mesa, assustando a mulher. — Não quero ser fofo! Quero ser normal. Cansei de carregar esse peso todo dia!

— Calma, João. Que grosseria.

— Xiii... Tô fora de barraco! Tô saindo, tô saindo! — diz Goreti, andando rápido para a sala da casa, com uma vassoura nas mãos.

O casal acompanha a saída da mulher com um olhar tenso. João suspira e se vira para Andrea um pouco mais calmo.

— Desculpe, amor, mas chegou a hora de pensar mais em mim.

— João, eu te amo do jeito que você é.

— Como, Andrea? Me diz como você pode amar duzentos quilos em cima de você?

Andrea não responde. Fica agitada e vai até a geladeira pegar um suco. João acompanha os movimentos nervosos da mulher e sente uma certeza definitiva invadir sua alma.

— Está decidido — continua com voz firme. — Amanhã vou no dr. Alcântara. Ele me falou uma vez dessa cirurgia e agora estou disposto a tudo. — A voz de João assume um tom dramático, jamais visto pela mulher. — Não aguento mais, amor. Simplesmente não aguento mais carregar este peso sozinho.

— João, você sabe que eu sempre vou te amar, mesmo que você tenha duzentos ou cinquenta quilos, mas, se isso vai deixá-lo mais feliz, tenha certeza de que vou te apoiar, amor.

João olha para a esposa como se tivesse presenciado um milagre. Aquela mulher tão bonita exibe nos olhos o que poucos têm o privilégio de ver: o amor incondicional. João abraça Andrea e liberta um choro intenso. Lágrimas há décadas reprimidas rolam por sua face.

Pouco mais de dois meses após a cirurgia, João sobe na balança e Andrea aplaude, soltando um grito de felicidade.

— Amor, você perdeu trinta quilos! Não está ótimo, dr. Alcântara?

— Trinta? — pergunta João, olhando desconfiado para a balança.

— Isso mesmo, meu amigo — confirma o médico. — Agora é só seguir passo a passo o que recomendei. Parabéns, João. Espero você para a próxima consulta.

João é o menos eufórico na sala do médico. Volta para casa com Andrea dirigindo e falando sem parar, animada com o novo visual do marido.

— Amor, você está um espetáculo! Agora é só seguir direitinho tudo que o dr. Alcântara falou.

— Não exagera, Andrea.

— Sério! E comigo cuidando de você, vai ficar um verdadeiro Apolo!

João tenta sorrir, mas tudo que consegue é um leve movimento dos lábios. Andrea não se abala e continua a falar empolgada sobre a nova vida que os dois agora poderiam ter. João, entretanto, se comunica apenas por meio de monossílabos até entrarem em casa. Andrea conhece bem o marido e, diante daquela estranha ausência de entusiasmo, decide pegar leve. Acredita ser normal o comportamento receoso de quem sofre uma cirurgia tão drástica como a de redução de estômago.

Uma semana depois, João não está em casa e Andrea conversa na cozinha com Goreti. O entusiamo inicial deu lugar a uma coleção de interrogações.

— Goreti, você está vendo o mesmo que eu? Fala pra mim.

— Ih, dona Andrea, não gosto de me meter nesses babados, não.

— Para com isso, Goreti. Você já está com a gente há quase dez anos.

— É, mas tô fora de barraco entre marido e mulher.

— Por favor, Goreti.

— Tá bom, mas não tá mais aqui quem falou, hein? Pra mim o seu João ainda pensa que é gordo. Pronto, falei!

— Pois é, eu tenho exatamente a mesma impressão — sussurra Andrea. — Ele continua deitando na cama como antes. Até pra fazer amor ele age como se tivesse cinquenta quilos a mais.

— Que babado! Olha... Não tá aqui quem falou, hein, dona Andrea? Mas eu vi o seu João sentado pra assistir à televisão naquela poltrona de gordo ocupando só a metade. Como se a senhora fosse sentar do lado dele, acredita?

— Acredito, Goreti... Pior que acredito.

— Sem falar nos pratos de comida, né? — continua Goreti, agora totalmente sem freio. — Nossa! O homem tá comendo que nem passarinho, dona Andrea. Sempre sobra um montão de comida no prato dele. Ou a senhora não tem percebido?

— Percebo, sim, Goreti. Acho que vou ligar para o dr. Alcântara e marcar uma consulta pro João urgente.

— Acho bom, dona Andrea. Porque ele ainda acha que tá comendo muito. O bagulho tá doido!

Andrea ri do jeito alarmista, porém sincero, de Goreti.

— Mas quer um conselho, dona Andrea? — A empregada não dá nem tempo para que a patroa responda. — Aproveita que é sábado e leva o seu João na piscina. Quem sabe ele não saca que agora fica bonitão sem camisa?

— Boa ideia, Goreti! Ainda mais que ele já perdeu os dez quilos que o dr. Alcântara disse que faltavam — diz Andrea. — Você merece um beijo!

Goreti gosta do reconhecimento, mas esconde o sorriso atrás da máscara de resmungona.

Pouco depois, João aparece e as duas trocam olhares estupefatos. O homem está usando as mesmas roupas de quando tinha quarenta quilos a mais. A imagem é tão patética que Andrea chega a pensar por um segundo que isso só pode ser mais uma das inúmeras brincadeiras do marido.

— Fala sério, né, João? Que roupa é essa? — Andrea solta uma gargalhada e se vira para a empregada. — Olha só, Goreti, o meu João agora virou comediante!

João olha para as duas sem entender nada.

— Comediante? Por quê?

Andrea continua rindo e não leva o marido a sério.

— Tá bom, amor. Deixa pra lá... Agora troca de roupa pra gente ir à piscina.

João dá de ombros e apenas ajeita um pouco o short.

Sem maiores dramas, o casal vai para a piscina do edifício onde moram. Para um começo de tarde de um sábado de sol, até que a piscina não está lotada. João pega uma mesa e depois quatro cadeiras. Dá uma para a mulher e empilha as outras para sentar-se. Andrea assiste perplexa, olhando em volta, desconcertada.

— Acho que o dr. Alcântara tirou também uns parafusos do seu cérebro, João. Pra que três cadeiras se você está quarenta quilos mais magro? Já não basta esse short de elefante? Quer o meu espelhinho emprestado, querido?

— Ok, amor — diz João, sentado na pilha de três cadeiras. — Vou dizer o que acho.

— Ótimo! Porque tá ficando esquisita essa sua brincadeira de se comportar como gordo, viu?

— Brincadeira? — João começa a ficar vermelho. — Vocês é que estão de brincadeira com a minha cara, só pode!

Andrea fica séria e pálida.

— Tá falando sério, João?

— Claro que sim... — responde João quase num sussurro, aproximando-se de Andrea. — Não consigo ver resultado nenhum nessa cirurgia, essa que é a verdade. Fui roubado por aquele charlatão do dr. Alcântara, amor!

Andrea fica tão escandalizada que nem consegue responder. Fica olhando para o marido, como se esperasse o momento em que ele fosse gritar "Tô brincando, amor". Só que João não está disposto a parar.

— Dá uma olhada nisso aqui, Andrea. — Ele mostra a ela sua foto de perfil em uma rede social. — Você pediu para eu colocar a foto nova e eu me pergunto: pra quê? Tô com a mesma cara redonda, cacete!

— João, pode parar com essa brincadeira. Tá me irritando.

— Brincadeira foi o que esse médico fez comigo.

Antes que Andrea possa responder, João levanta da pilha de cadeiras e dá um mergulho na piscina. A mulher começa a olhar para o celular, tentando disfarçar toda sua indignação na presença dos vizinhos da mesa ao lado. Mas então vem o assombro definitivo: João sai da piscina e corre direto para o elevador de serviço. Andrea escuta sua voz aflita.

— Esvaziei a piscina! Esvaziei a piscina!

Andrea chega em casa indignada, e então a coisa se agrava de verdade. João está em sua poltrona de gordo, ocupando apenas a metade do assento. Ao ver Andrea, solta um grito de triunfo.

— Ahá! Agora entendi tudo. Não sou cego, Andrea.

— Entendeu o quê, João? Ficou louco de vez?

— Posso ser louco, mas não sou cego! Você também está gorda, Andrea. Como não percebi isso antes?

João dá um tapa na testa e logo em seguida vê um dos bibelôs da mesa de centro, um elefantinho de metal, passar zunindo sobre sua cabeça.

— O que é isso, Andrea?

— Gorda tá a sua mãe, seu filho da puta! Cansei dessa palhaçada, João Otávio!

João olha perplexo para a mulher.

— Ficou louca? Só porque engordou uns quilinhos? E eu que continuo um elefante africano e tenho que aturar seus elogios ridículos?

Andrea aproxima-se do marido como um detetive que tenta decifrar o olhar de um criminoso. Face a face com João, consegue ver todo seu espanto sincero. Conhece-o muito bem. Quando está de brincadeira, nunca consegue sustentá-la por mais de dez segundos sem cair na gargalhada. Andrea entende tudo. O marido está com algum problema sério de visão. Ou de percepção.

Goreti, que assistiu à cena da porta da cozinha, volta para a frente do fogão balançando a cabeça e soltando os resmungos de sempre. Andrea se agacha segurando nas pernas do marido.

— João, tem algo de muito errado com você. Essa cirurgia afetou sua visão ou alguma coisa na sua cabeça. Não vejo outra explicação.

— Ah, finalmente! — diz João, triunfante. — Então você reconhece que a famosa cirurgia bariátrica do dr. Alcântara é um grande engodo?

— Porra, João! Para e me escuta! — diz Andrea, já de pé. — Você precisa voltar urgentemente ao consultório dele.

— Voltar naquele charlatão? Sem chance! — João se levanta e marcha acelerado na direção do quarto do casal.

Andrea vai atrás.

— Escuta, João. Olha só...

— Sem chance, Andrea. — João entra no quarto.

— Mas você sempre disse que o dr. Alcântara é o melhor médico que...

— Ahhhhhh! — interrompe João. — O que houve com a nossa cama *king size*, Andrea? Cacete! Nessa cama aí não cabe nem um faquir!

— Que é isso, João? É a nossa cama de sempre. Tá maluco? Como eu ia trocar a nossa cama se eu estava com você na piscina? — Andrea troca definitivamente a raiva pela angústia.

— Ah, é? E a Goreti, hein? — João sai gritando pelo corredor. — Goreti! Goreti!

Andrea fica no quarto, desolada. Senta na cama e coloca a cabeça entre os joelhos, sem saber o que fazer. João entra na cozinha ainda transtornado. Entretanto, confia em Goreti e na sua sinceridade simples, sem meias palavras.

— A Andrea combinou com você de trocar a cama do nosso quarto, não foi? Confessa!

— Vixi! O senhor tomou água que passarinho não bebe, foi?

— Então como aquela cama de faquir anão foi parar no meu quarto, hein?

— Minha Nossa Senhora do Socorro! O senhor tá com o coisa ruim, é?

João fica desconfiado de si mesmo pela primeira vez. Acredita tanto na sinceridade de Goreti que resolve fazer a pergunta definitiva.

— Goreti, olha bem pra mim e diz a verdade como você sempre faz. Você acha que eu emagreci?

Goreti arregala os olhos e faz o sinal da cruz.

— Cruzes! O senhor tá um fiapo, seu João! Eu acho que o senhor emagreceu até demais, viu?

Ele finalmente cai das nuvens, o que, segundo Machado de Assis, é sempre melhor que cair de um terceiro andar. Sai da cozinha pensativo. "Se a Goreti falou, deve ser mesmo verdade."

Diante dos fatos, João cede e na manhã seguinte está na clínica do dr. Alcântara. Andrea continua preocupada, porém um pouco mais aliviada quando senta-se com o marido na sala de espera. Quando o casal entra na sala do médico, João leva um susto que o faz dar um passo atrás.

— Não é possível! — diz ele com os olhos esbugalhados. — O senhor está uma baleia, dr. Alcântara! Uma bola! Agora entendi a maldita conspiração de vocês!

Andrea olha em desespero para o dr. Alcântara, que apenas franze a testa.

— Como é, João? — pergunta o médico tranquilamente. — Você acha que eu estou gordo?

— Gordo não, imenso! — afirma João, na lata.

O dr. Alcântara sorri. Conhece o lado brincalhão do paciente.

— Quem tem que estar bem é você, João — explica o médico, bem-humorado. — E, pelo visto, você vai muito bem. Está ótimo, meu amigo. Vem aqui para a gente ver seu peso e...

— Tá de sacanagem, seu charlatão? — interrompe João, antes de sair correndo aos gritos pelos corredores da clínica. — Charlatão! Charlatão!

Andrea tenta segurar o marido, mas ele escapa sem esforço. A mulher olha para o médico, que agora está sério e pensativo. Pede para Andrea contar o que está acontecendo, mas ela parece muito nervosa e preocupada. Pede licença e vai atrás do marido.

No caminho para casa, João vê que tudo no mundo está disforme. Tudo parece estar gordo. Todas as pessoas que passam por ele parecem ter saído de um quadro de Botero. Apavorado, chega em casa e vai correndo para a sala de TV. Liga o aparelho e também o tablet à procura de alguma notícia bombástica sobre aquela súbita epidemia de gordura. Andrea chega logo depois. Quando vê a mulher enorme de gorda, João chega a uma conclusão definitiva.

— Amor, não se desespere. Ficarei ao seu lado até o fim!

Andrea passa as mãos pelo rosto e procura o celular na bolsa.

— Meu amor — prossegue João —, a humanidade será extinta pelo vírus da obesidade! O *Homo sapiens* vai dar lugar ao *Homo obesus*! Agora ficou tudo claro pra mim.

Andrea ouve aquilo e sente-se impotente. Pega o celular e liga imediatamente para o dr. Alcântara. Enquanto João fica falando sozinho na sala de TV, a mulher vai para o quarto e conta tudo ao médico.

— Entendi, Andrea — diz o dr. Alcântara. — Agora preste atenção. Você precisa levar o João o mais rápido possível a um psiquiatra. Tenho um colega que é ótimo e já pegou casos parecidos com o dele.

— Psiquiatra? O João tá louco, doutor? — pergunta a mulher, preocupada.

— Você ainda acha que psiquiatras tratam apenas dos loucos, minha amiga? Por favor...

— Desculpe a ignorância, dr. Alcântara, mas o que ele tem?

— Se eu não estiver muito enganado, o João está sofrendo de distorção da imagem corpórea.

— Que doença é essa, doutor? Tem cura? — Lágrimas começam a cair pelo rosto de Andrea.

— Calma. É um transtorno sério, mas que tem cura. Vou te passar o telefone do consultório do meu amigo psiquiatra, o dr. Argelino Quintana. Anota aí.

Andrea pega todos os dados do novo médico, agradece e, depois de desligar, ainda fica algum tempo pensativa em um dos cantos da sala, com a luz apagada.

No dia seguinte, João diz que não vai de jeito nenhum. Angustiada, Andrea vai sozinha ao consultório do psiquiatra. Quer entender a doença do marido o mais rápido possível para saber o que fazer. O psiquiatra é de uma gentileza ímpar. Diz ter recebido um telefonema do colega dr. Alcântara e que ele irá pessoalmente naquele mesmo dia até a casa deles visitar João.

Andrea volta para casa aliviada, mas ansiosa. Quando abre a porta, vê um monte de malas abarrotadas e Goreti, entediada, sentada em cima de uma delas.

— O que significa isso, Goreti? Meu Deus do céu!

— E eu sei lá? O marido da senhora que arrumou isso tudo e me pediu pra ficar aqui tomando conta. Vixi, dona Andrea, não quero me meter, mas agora o seu João pirou de vez.

Andrea entra no quarto e vê João deitado no chão, todo encolhido. Quando vê a mulher, se agarra aos pés dela, desesperado.

— Salve-se, meu amor! Você e a Goreti. Rápido!

Andrea fica assustada. Goreti nem dá atenção e continua impassível, sentada na mesma mala.

— O vírus da obesidade está se espalhando rapidamente. — Ele pega um envelope e entrega para a esposa.

— Aí dentro tem duas passagens para os Estados Unidos. Vocês vão para Boston. Pesquisei na internet e descobri que é o único lugar onde o vírus não consegue entrar porque tem uma câmera asséptica no aeroporto e em todas as fronteiras. Rápido! O voo é direto.

Andrea pega o envelope e fica observando João sem saber o que fazer. De repente, olha para o relógio, ansiosa. Está quase na hora de o psiquiatra chegar.

— Olha! — continua João. — Vocês vão ficar lá até a Organização Mundial da Saúde encontrar uma vacina. Ah, esperem! Vou entrar no site deles e me oferecer como voluntário!

Andrea vai até a sala. Goreti continua sentada sobre as malas.

— Rápido, Goreti. Vamos descer.

Quando chegam ao elevador, Goreti começa a falar:

— Olha só, dona Andrea, eu não posso viajar de avião. Cruzes! E além disso não tenho aquelas coisas que todo mundo fala que precisa pra viajar. E eu tenho também uma amiga...

— Para, Goreti! — interrompe Andrea. — Você achou mesmo que a gente ia viajar? Tá maluca?

— Vixi Maria! E eu vou lá saber? O seu João tá ó... birutinha das ideias. Como vou saber que a senhora não pegou esse negócio aí também?

— Cala a boca, Goreti! Não me deixa mais nervosa do que já estou. Nós vamos ficar aqui embaixo esperando o psiquiatra chegar.

Dr. Quintana chega e os três sobem juntos no elevador. Andrea vai contando os últimos acontecimentos para o médico. Quando entram no apartamento, Goreti disfarça e se manda para a cozinha.

Andrea e o médico encontram João completamente agasalhado, vestido inclusive com gorro e luvas, sentado diante do computador. O homem está tão concentrado digitando que não percebe os dois pares de olhos atrás dele. Andrea e o médico só conseguem ver os destinatários do e-mail: a ONU e a OMS. Mas a mulher sabe que João tem o costume de ler a mensagem em voz alta antes de enviá-la.

— Sou o hospedeiro da maior ameaça à humanidade desde o ebola. Sou portador do vírus da obesidade mórbida, que já tomou conta do meu país e vai se espalhar pelo mundo inteiro. A única saída é que vocês me aceitem como cobaia para criar uma vacina. — João acaba de ler e aperta a tecla enviar.

Assustada, Andrea se vira para o médico, que não tira os olhos de João.

— Meu amor... — chama Andrea num sussurro plangente.

João dá um pulo da cadeira. Olha para a mulher e para o médico e vai até a janela. Abre a cortina e aponta um dos dedos para o céu.

— Olhem! Olhem! Talvez seja tarde demais! Começou a chover gordices!

— Para com isso, amor! Este é o dr. Quintana. Ele veio te ajudar...

— Me ajudar? Ótimo! — João puxa o médico até a janela e aponta para a rua. — Quer me ajudar, doutor? Então me diz como parar com essa chuva de macarronada, pizzas, brigadeiros e sorvetes! Se sabe, diga rápido, doutor! Não temos tempo a perder!

Atônito, o médico olha para Andrea, que chora, impotente.

João leva as mãos à cabeça.

— Já era! Esse maldito vírus está em tudo que comemos!

Mentes que amam demais

O velho e implacável despertador da mesinha de cabeceira começa a tocar às seis horas da manhã e depois a cada dez minutos. Claudio prefere assim porque nunca consegue sair da cama com o primeiro toque. Geralmente levanta depois do terceiro. Dessa vez, bastou o segundo. Embora goste do seu smartphone de última geração e das inúmeras opções de despertadores mais agradáveis disponíveis, atualmente prefere dormir com tudo desligado. Tomou tal decisão radical após uma semana de namoro com Luiza, uma morena bonita e interessante de trinta e cinco anos. Estão juntos há seis meses, mas Claudio não tem mais dúvida de que tomara a decisão certa para preservar o relacionamento e, principalmente, um sono tranquilo. Mas, para acabar com qualquer tentativa de eufemismos, a verdade nua e crua aparece quando liga o aparelho e as trezentas e quarenta e nove mensagens de Luiza parecem jorrar do celular. Ele respira fundo, passa as mãos pelo rosto e fica um tempo olhando para o número 349 estampado em vermelho na tela do aparelho. Resolve não ler nenhuma. Vai em direção ao banheiro.

— Preciso muito de um banho frio — diz a si mesmo.

Após vestir a roupa e pegar um suco na geladeira, vai até a sala e senta no sofá, como se estivesse reunindo forças para começar o dia.

Olha para o aparador próximo à porta da sala e sente a impossibilidade de evitar que o desânimo tome conta da sua manhã. O móvel está tomado por centenas de cartas, bilhetes, corações, bichinhos de pelúcia, flores e envelopes de diversos tamanhos. Um verdadeiro acervo amoroso. Só mesmo um repentino ataque de fúria para vencer aquele desânimo. Claudio sai da inércia e como um tornado varre tudo que havia sobre o aparador.

— Chega dessa loucura! Chega! — Abre a porta de casa e joga toda aquela coleção de intensas declarações na lixeira.

Volta ao apartamento e fecha a porta, aliviado, como se tivesse deixado do lado de fora tudo que o sufocava. Fez também uma limpa no smartphone, só que dessa vez foram as trezentas e quarenta e nove mensagens que foram parar no lixo virtual. Respira aliviado, como que saído de uma sessão de descarrego ou algo parecido. Mas o celular toca em seguida. Ele vê o nome de Luiza na tela.

— Luiza! O que é tão urgente que você precisa enviar trezentas e quarenta e nove mensagens para o meu celular? Isso sem contar o mar de cartas que todos os dias são deixadas debaixo da minha porta. Alguém morreu? O mundo vai acabar? Sério, o que é tão urgente e importante para justificar essa merda toda?

— Merda? Como você é frio, Claudio. Isso é amor e...

— Nem comece a falar, Luiza! Agora, quem vai me escutar é você! Ah! Antes que você pergunte, nem me dei ao trabalho de ler tudo, até porque é humanamente impossível. Você tenta monopolizar meu tempo, mas eu tenho uma vida, Luiza.

— Amor... — A voz do outro lado da linha é chorosa. — Você não percebe que eu faço isso porque te amo? Porque só penso em você? Você é meu ar, meu chão, meu tudo!

— Você só vê o seu lado, Luiza. É sempre assim.

— Amor, não quero viver sem você. Essa sua indiferença é que me obriga a ser insistente. Se você tivesse me respondido ao menos uma vez, uma vírgula que fosse, eu não precisaria fazer isso tudo.

— Você nem me dá tempo para respirar, Luiza, quanto mais para responder alguma coisa.

— O que que custa, amor? Fala! Você não era frio e insensível assim. Não entendo por que mudou. O que você quer que eu faça para ter o meu Claudinho de volta? Sou capaz de qualquer coisa, é só você me dizer. Me diz!

— Dá um tempo, Luiza. Você não vê que está sendo totalmente *over*? No início, eu curtia as coisas que você me mandava. Mas agora virou um exagero.

— Mas, amor...

— E agora preciso ir. Não tenho tempo para isso. Depois nos falamos. — O homem desliga, suspirando.

Em seu apartamento, Luiza fica um tempo olhando com tristeza para o celular. Acende um cigarro e traga profundamente, como se cada trago fosse o último. Logo em seguida, liga novamente, mas Claudio não atende dessa vez. Põe a mão no peito e começa a chorar sentindo uma dor profunda, lacerante e descontrolada. Em intenso desespero, sai falando sozinha pelo apartamento, xingando e derrubando objetos por onde passa.

— Por quê, meu Deus? Por quê? O que eu fiz para merecer isso? Dói tanto. — Ela se ajoelha e começa a socar o chão. — Eu me odeio! Eu me odeio! Eu me odeio! Não faço nada certo! Mas desde quando carinho faz mal? Mesmo assim a culpa é minha! Sou uma burra!

Alguns minutos depois, o cansaço bate e Luiza chora baixinho com o rosto colado ao chão. As lágrimas rolam livremente pelo rosto imóvel. A calmaria, entretanto, dura pouco. Quando levanta, sua expressão muda completamente. Uma máscara de raiva e ódio transforma sua expressão antes amargurada. Levanta de supetão e vai até o quarto.

— Quer saber? Vou expurgar esse filho da puta da minha vida! Ele não me merece! Não me valoriza! É um egoísta!

Pega o porta-retratos com a foto de Claudio e o joga na parede. Não satisfeita, arranca a foto e rasga tudo em pedacinhos. Começa a procurar outros objetos ou presentes de Claudio e vai destruindo tudo.

— Quem cuidou de você quando estava doente? — Luiza continua em tom de raiva. — Quem te arranjou um emprego? Quem faz massagem e te atura quando está de mau humor? Filho da puta! Ingrato!

Luiza derruba o porta-copos da cozinha e o faqueiro. Continua a andar descontrolada pelo apartamento, como um furacão desvairado.

— Ah, mas eu vou chifrar esse insensível escroto! Ele vai ver o que é bom pra tosse!

Cai no chão e, quando levanta, seus joelhos sangram, mas a mulher nem repara. Continua possuída por uma fúria avassaladora. Quebra CDs, rasga camisetas e destrói o vaso de tulipas da cabeceira. Tudo que lembra o namorado é destruído sem nenhuma hesitação.

— Desculpe-me, sua majestade. Quer que eu seja sua puta calada submissa? — continua, agora num tom debochado. — Não pode atender minhas ligações, ler minhas trezentas e quarenta e nove mensagens, seu escroto do caralho? Você acha que eu sou o quê?

Depois de mais uma catarse, Luiza suspira com alívio e volta a ajoelhar-se no chão, sem se importar com a dor dos cortes.

— Ai, meu Deus, por que valorizo e amo quem não me dá a mínima? Por que o Claudio faz isso comigo? O que custa dizer "Oi, amor, depois te ligo"? Eu não mereço isso. Não mereço mesmo! — Ela se encolhe em posição fetal e adormece chorando.

No outro dia pela manhã, Claudio chega na garagem para pegar o carro e encontra Luiza encostada no capô.

— Não acredito nisso! Puta que pariu!

— Ai, amor… Eu faço uma surpresa e você vem de grosseria?

Claudio balança negativamente a cabeça.

— Surpresa seria não te encontrar na garagem, né, Luiza? Ontem você estava aqui, anteontem também. A semana toda foi a mesma coisa.

— Poxa, amor... É porque eu te amo!

— Luiza... — Claudio passa as mãos pelo rosto. Sente-se impotente. — Você está destruindo nosso relacionamento. Eu não aguento mais ser vigiado e perseguido vinte e quatro horas por dia, entendeu? Eu simplesmente não aguento mais!

— Você quer dizer que não me ama mais, Claudio? É isso? — ela diz com voz chorosa.

— Como eu posso amar alguém que está fazendo da minha vida um inferno? Só se eu fosse masoquista.

— E o meu amor? Não vale nada pra você, Claudinho?

— Amor? Isso não é amor, Luiza. Será que você não percebe? Isso é... sei lá o que isso é.

— Você não me ama mais? É isso? Fala logo! — Ela perde completamente o controle, arranca os sapatos de salto alto e os joga em Claudio.

— O que é isso? Ficou louca?

Luiza então parte para cima do homem e arranha o rosto dele com as unhas.

— Para, Luiza! Você é uma maluca, uma descontrolada! Cai fora daqui! — Ele dá um empurrão na mulher, que cai no chão, chorando.

— Amor, desculpe! Eu te amo! — implora ela.

Claudio, completamente transtornado, entra no carro e arranca, mas logo é obrigado a parar enquanto espera, ansioso, que o portão eletrônico se abra. Luiza vai atrás. Tenta abrir a porta do carona, mas não consegue. Ameaça se jogar em cima do capô, mas acaba caindo para um dos lados do veículo. Claudio aproveita o portão aberto para sair do prédio. Olha pelo retrovisor e não acredita no que vê. Luiza corre atrás do carro por alguns metros. Claudio pisa fundo no acelerador até a imagem da mulher desaparecer.

No dia seguinte, Luiza chega toda produzida à portaria do prédio de Claudio. Seu Adamastor, um senhor de setenta e poucos anos, que trabalha como porteiro ali há muitos anos, logo lhe avisa:

— Olha, dona Luiza, o seu Claudio saiu mais cedo hoje.

— Sério? Por quê? — As lágrimas começam a borrar a maquiagem da mulher.

— Não sei, minha filha. — Ele então percebe que Luiza está chorando. — Menina bonita assim não pode chorar, não. É pecado, sabia? Estou chamando você de minha filha porque tem a idade da minha. Venha aqui comigo. — Seu Adamastor puxa sua cadeira da portaria e ajuda Luiza a sentar.

— Obrigada, seu Adamastor. O senhor é muito querido. — As lágrimas voltam a deslizar pelo rosto da moça.

Seu Adamastor sai e volta com um copo d'água.

— Tome, minha filha. Você vai virar uma seca só por dentro chorando desse jeito. É muita água que está vazando. Bebe um tiquinho que vou colocar uma pitada de açúcar.

Luiza sorri, pega delicadamente o copo, dá um gole e respira fundo.

— Obrigada, seu Adamastor, mas não quero atrapalhar seu trabalho.

— Ih, menina bonita com os olhos de Iemanjá, eu sou da roça. Sou cascudo, mas sei ser cavalheiro. Mulher na minha presença não chora não, nossa senhora! Isso é educação lá na minha terra!

Luiza sorri mais calma diante de tanta simplicidade e gentileza.

— Olha, minha filha, se eu fosse você, ia pra casa descansar. O seu Claudio só volta lá pra de noite. Vai pra casa, toma um banho quente e reza para o nosso Senhor que ele vai te ajudar.

Luiza fica um tempo olhando fixamente para o nada, numa espécie de transe. Um casal com uma criança sai do elevador rindo e dá bom-dia para o porteiro. Luiza desperta e devolve o copo para seu Adamastor.

— O senhor está certo. Vou pra casa. Muito obrigada por tudo, seu Adamastor.

— Que é isso, menina bonita? Adamastor está sempre às ordens.

Luiza abre a porta do carro como uma sonâmbula. Entra e fica imóvel, muda, voltando para o estado de transe. Fica ali sem se mexer por uns vinte minutos. Quando resolve sair, quase bate num carro que passa raspando e buzinando. A mulher ainda faz várias barbeiragens no trânsito até chegar em casa. Lá, joga a bolsa no chão e vai para o quarto. Pega uma caixa de calmantes e toma quatro comprimidos com uísque. Deita no sofá da sala sem nem mesmo tirar os sapatos de salto alto.

Claudio sai do trabalho e vai direto para casa. Encontra seu Adamastor na garagem.

— Boa noite, seu Adamastor. Tudo resolvido?

— Tudo, seu Claudio. O chaveiro veio e trocou a fechadura das duas portas.

— Ótimo. Muito obrigado pela ajuda. — O homem entrega uma nota de cinquenta reais para o porteiro.

— Nossa, seu Claudio, não precisa tudo isso, não.

— Faço questão, seu Adamastor. Além de me ajudar, o senhor ainda tem que aturar aquela louca da Luiza fazendo escândalo na portaria.

Uma expressão séria toma conta do rosto do outro homem.

— Ô, seu Claudio... A dona Luiza é uma menina boa. Só tava um pouquinho tristinha demais da conta hoje.

— Hoje?! — Claudio fica espantado. — A Luiza veio aqui hoje?

— Veio sim, senhor. Chorou que parecia que ia secar, a coitadinha.

— Não sei por que fiquei surpreso, né, seu Adamastor? Ela vem aqui todo dia.

— Vem sim, senhor.

— Olha, seu Adamastor, se ela vier amanhã, não precisa nem abrir o portão. Eu não quero mais que a Luiza entre aqui, combinado?

— Pode deixar, seu Claudio. Mas o senhor tem certeza?

— Tenho, sim. Isso tem que acabar.

— É… mas a moça gosta do senhor mesmo, né?

— O senhor acha? Bom, obrigado mais uma vez, seu Adamastor, e boa noite.

Claudio entra depressa no elevador tentando esconder do porteiro as lágrimas de culpa e remorso. Será que estava pegando pesado demais com a namorada? Mas, ao mesmo tempo, achava que aquilo tudo ia muito além de um simples exagero de mulher apaixonada. Por isso, além da fechadura, trocou o número do celular e tirou o telefone fixo da tomada. Tais atitudes, porém, sepultavam de vez um namoro que fizera Claudio acreditar novamente em relacionamentos e até em matrimônio.

No dia seguinte, Claudio respira aliviado ao descer para a garagem e não encontrar Luiza. Quando está esperando o portão abrir, seu Adamastor chega, de olhos tristes, arriados e apagados, e lhe entrega um bilhete de Luiza.

— Obrigado, seu Adamastor. E agradeço por não ter deixado a Luiza entrar.

— Às ordens, seu Claudio, mas a moça tava de um jeito que eu nunca vi.

— Ela gritou com o senhor?

— Ih, longe disso. A coitadinha nem conseguiu falar. Chorava igual a um bebê e só foi embora porque coloquei ela dentro de um táxi.

Claudio fica preocupado e resolve ler o bilhete. Fica pálido. É uma ameaça de suicídio. Isso faz o homem desmoronar na hora. O amor que sente pela mulher retorna misturado com vários sentimentos estranhos e recordações dos melhores momentos do namoro. Sai com o carro feito um louco e vai até a casa de Luiza. Quando ela abre a porta, Claudio a beija loucamente e é correspondido com toda a paixão. Tiram as roupas de qualquer maneira, afoitos, loucos de desejo. Caem no chão e fazem sexo como nunca, repletos de remorso e culpa.

Passam o dia todo regados a uísque, sexo e Pink Floyd. Na manhã seguinte, Luiza está radiante e não para de encher Claudio de carinhos e beijos.

— Agora diz que me ama, meu Claudinho... Vai...

— Te amo, Luiza.

A mulher volta a beijá-lo com intensidade e Claudio demora a encontrar uma brecha para conversar.

— Presta atenção, meu amor. Só podemos ficar juntos se você me prometer uma coisa.

— Fala, amor. Faço qualquer coisa para nunca mais ficar sem o meu Claudinho.

— Ótimo. Então olha só pra mim. Presta atenção, amor. Promete que você vai hoje mesmo procurar um psicanalista?

— Ai, amor... pra quê?

Claudio dá um pulo da cama.

— Não começa, Luiza. Será que não está óbvio que você precisa de ajuda?

— Eu tenho você, amor! Vem cá...

— Tô falando sério, Luiza! Você precisa de ajuda especializada. Terapia... sei lá. Ou você procura um psicanalista ou nosso relacionamento termina agora.

Luiza faz cara de choro, mas não diz nada. Claudio começa a se vestir para ir embora.

— Estou esperando sua resposta, Luiza.

A mulher mantém a cara de choro, hesita e murmura baixinho:

— Tá bom, amor. Eu prometo.

Para ajudar a namorada, Claudio faz questão de levá-la para a primeira sessão com o terapeuta recomendado por uma amiga do trabalho. Deixa Luiza no consultório e vai para o trabalho bem mais leve. Mas antes tivesse ficado para ouvir o diagnóstico do psicanalista:

— Olha, Luiza, posso até ser seu analista no futuro, mas no momento você precisa de outro tipo de ajuda.

— Sério? Mas eu gostei do senhor!

— Obrigado, Luiza, mas primeiro você precisa tomar alguns remédios. Vou te dar o telefone do dr. Balbuena. Ele é um ótimo psiquiatra e já tratou de casos semelhantes ao seu.

— Psiquiatra? — repete Luiza, sentindo-se ao mesmo tempo assustada e ofendida.

— Sim. Eu não posso receitar remédios. Pode confiar em mim, o dr. Balbuena vai te ajudar muito.

Luiza sorri, sem graça, e pega o cartão do psiquiatra. Despede-se do analista e sai do consultório apressada. Liga para Claudio e conta indignada o que o analista disse.

— Você acredita nisso, amor? Um psiquiatra!

— O que tem de mais, Luiza? Se o analista falou isso é porque você precisa mesmo.

— Ah, não, amor! Como assim? Eu não...

— Para, Luiza — interrompe o namorado. — Você vai ao psiquiatra, sim. Vai se sentir muito melhor, você vai ver.

— Ai, amor... Tudo bem, então...

— E outra coisa: você não estava trabalhando como freelancer no escritório de arquitetura da sua prima?

— Ainda tô, Claudio. Só que... só que agora estou fazendo uns projetos em casa e... é isso.

— Ah, tá. Então aproveita e liga para o psiquiatra agora.

Não demora muito para Claudio descobrir que Luiza não procurou psiquiatra nenhum. A mulher fica cada vez mais agitada, nervosa e falando muito. Desconfiado, vai à casa de Luiza de surpresa. Para variar, encontra a porta fechada, mas não trancada. Ele entra como um ladrão e dá de cara com Luiza cheirando uma das cinco carreiras de cocaína que estavam em cima de uma bandeja. Ao vê-lo, a mulher levanta assustada, derrubando a bandeja e o pó no chão.

— Amor! Eu...

— Nem vem, Luiza — diz Claudio seco, já dando meia-volta.

— Amor, eu estava triste! Foi só um teco! — diz a mulher, travada.

— Me larga, Luiza! Tá de sacanagem? Tinha um monte de carreiras na porra da bandeja! Se você quer se destruir, faça isso sozinha! Tô fora!

— Para, amor! Pelo amor de Deus! Eu te amo!

Claudio empurra Luiza e sai correndo pela porta. Luiza tenta ir atrás dele, mas o homem desce pela escada quase num pulo. A mulher grita desesperada e começa a jogar objetos na parede. Só que, acelerada pela cocaína, dessa vez destrói a casa inteira.

No dia seguinte, sem dormir e mais confusa ainda, Luiza chega irreconhecível ao edifício de Claudio. Usa peruca loira, óculos escuros, casaco preto de couro e botas, além de um daqueles sutiãs que aumentam em até seis vezes o tamanho dos seios. Um disfarce digno da assinatura de um grande figurinista. Ela sorri ao ver que seu Adamastor não está na portaria e sim Miguel, um rapaz magro e com o rosto cheio de espinhas, e que às vezes cobre as folgas do velho porteiro.

Miguel fica tão deslumbrado com aquele mulherão que parece ter saído de uma daquelas revistas de mulheres irreais expostas nas bancas de jornal que Luiza não tem nenhuma dificuldade em enrolar o rapaz. Entra no elevador e vai até o apartamento de Claudio. Não consegue esconder o sorriso ao ver que a porta está entreaberta. Ao entrar, abre a bolsa e pega uma pequena pistola. As botas com solado de borracha deslizam pelo piso silenciosamente. Luiza para por um instante. Ouve um barulho vindo da cozinha. Vai até lá e vê a geladeira aberta e alguém assobiando tranquilamente, com a cabeça mergulhada no interior do eletrodoméstico. A mulher não perde tempo. Atira três vezes. As balas atravessam a porta da geladeira com facilidade. Seu Adamastor cai para trás, deixando cair uma chave de fenda. Seus olhos estão arregalados e sem vida. O terror e uma palidez instantânea tomam conta da expressão de Luiza, que leva as mãos à boca, sem saber o que fazer. Ouve um novo barulho vindo do quarto que a faz fugir desesperada.

Claudio entra em estado de choque ao chegar à cozinha ainda de cabelo molhado e roupão e encontrar seu Adamastor caído no chão, com olhos abertos de peixe morto. Após alguns instantes de hesitação e perplexidade, pega o telefone e liga para a polícia. Claudio ignora o fato de ainda estar de roupão e vai até a portaria falar com Miguel. O garoto ouve a trágica notícia e sua palidez torna-se diáfana.

Quando a patrulha chega ao prédio, dois detetives vão até o apartamento de Claudio investigar a cena do crime enquanto outros dois policiais interrogam Miguel, que, aos prantos, repete sem parar:

— Foi a loira! Foi uma mulher loira! Ela disse que era sua amiga, seu Claudio!

— O senhor suspeita de alguém? — pergunta um dos policiais a Claudio, que, muito abalado, apenas faz que não com a cabeça.

— Só se... Não, não é possível. A Luiza é morena — diz Claudio, com um mau pressentimento.

— Quem é Luiza? — pergunta um dos policiais.

— Minha namo… quer dizer, minha ex-namorada.

Os policiais trocam olhares e pedem para acessar as câmeras do edifício. Claudio acompanha as imagens para tentar reconhecer a mulher e fica estarrecido ao identificar os gestos inconfundíveis da ex-namorada.

— É… é a Luiza! Minha ex-namorada! — diz Claudio, agora tão pálido quanto Miguel.

— Mas o senhor não disse que sua namorada é morena? — questiona um dos policiais.

— Ex-namorada! Ela está de peruca, mas não me engana! Conheço essa louca de longe!

Claudio tenta explicar toda a história e argumenta com os policiais, mas eles dizem que precisam de provas e que as imagens têm que ser analisadas pelos peritos.

— Os senhores precisam nos acompanhar até a delegacia.

Claudio e Miguel vão para a delegacia, enquanto um rabecão chega para recolher o corpo de seu Adamastor.

Após algumas horas na delegacia, Claudio e Miguel são liberados, mas avisados pela delegada de que poderão ser intimados a depor a qualquer momento durante as investigações. Já na rua, Claudio apanha a carteira e dá dinheiro a Miguel.

— Pega esse dinheiro e volta pra casa. Preciso ir a um lugar antes, Miguel — diz Claudio, olhando para os dois lados.

Ainda assustado, o garoto pega o dinheiro e Claudio faz sinal para um táxi. Dá o endereço para o motorista e despacha o rapaz. Inquieto, entra num outro táxi e chega em pouco tempo à casa de Luiza. Dá um olá para o porteiro e sobe pelas escadas até o segundo andar. Encontra a porta do apartamento fechada, mas, como sempre acontecia, destrancada e sem a correntinha de segurança. Assim que entra, dá de cara com outra cena assustadora. Luiza está sentada no sofá da sala, com os pulsos cortados e sinais de overdose de cocaína. O casaco preto de couro, as botas e até a peruca loira usada no disfarce estão espalhados por toda parte da caótica sala.

Claudio não pensa duas vezes. Pega a mulher no colo e a leva para o hospital. Entra na emergência ajudado por dois enfermeiros. Ao ver o estado de Luiza, a médica de plantão faz um monte de perguntas e Claudio responde a elas sem hesitar.

— Pra resumir, doutora, ela surtou mesmo!

A médica não pareceu muito convencida com as respostas nem com a última explicação de Claudio, mas, diante da gravidade do quadro, o mais importante era salvar a vida da paciente.

Claudio fica andando de um lado para o outro, como um pai que espera o nascimento de um filho. Respira aliviado quando a médica se aproxima e informa que Luiza não corre mais risco de morte.

Na manhã seguinte, Luiza acorda e percebe que está em casa. Ao ver Claudio sentado na beirada da cama, dá um pulo e tenta abraçá-lo, apesar de seu estado ainda inspirar cuidados.

— Ficou louca de vez, Luiza? — Claudio se esquiva. — Só estou aqui por um único motivo. Preciso saber por que você matou o seu Adamastor. Por que você fez isso?

— Eu? Eu não matei ninguém! Não fui eu!

— Porra, Luiza! Você pensa que sou otário? Nenhum disfarce do mundo vai conseguir esconder a sua loucura.

— Mas, amor, não fui eu! Por favor, acredita em mim! — A mulher, mesmo com os pulsos enfaixados, se agarra aos pés dele.

— Me larga! Você ainda vai pagar por isso! — diz Claudio, e sai do apartamento.

— Volta aqui, Claudio! — berra a mulher, desesperada. — Volta aqui, seu idiota! — diz, mas não consegue ir atrás dele. Tonta, volta a deitar e começa a chorar com a máxima intensidade que sua condição lhe permite.

Dois dias depois, Claudio chega em casa e vê um bolo em cima da mesa da sala com um cartão ao lado onde se lê: "Com carinho da família de Adamastor Silveira". O homem não consegue evitar um sorriso triste.

Na manhã seguinte, Claudio come um pedaço do bolo e vai para o trabalho. Após responder às inúmeras perguntas curiosas dos colegas sobre o crime, diz que está muito cansado.

— Dona Esmeralda — chama ele e, assim que ela se aproxima, lhe informa: — Hoje só atenderei telefonemas urgentes, ok?

— Pode deixar comigo, seu Claudio — responde a secretária, toda atenciosa.

Lá pela hora do almoço, dona Esmeralda estranha o silêncio do sempre agitado chefe. Abre a porta da sala e vê Claudio com o tronco desabado sobre a mesa.

— Seu Claudio? Acorda! O senhor quer que eu peça seu almoço? Seu Claudio? — chama Esmeralda, insistente. Como o chefe não responde, a mulher começa a gritar pelas outras pessoas do escritório. Logo, cinco funcionários entram na sala e um deles constata que Claudio está morto.

O enterro de Claudio é realizado às cinco horas da tarde do dia seguinte. A capela do cemitério fica lotada de parentes e amigos de trabalho.

Quando chega a noite e já não há ninguém no cemitério, uma mulher aparece entre as sombras. Luiza, novamente vestida de preto, olha para os lados com uma pá nas mãos. Vai até o local onde o namorado está enterrado e tira, com relativa facilidade, a terra recém-colocada que cobre o caixão. Segurando a lanterna com a boca, consegue cavar cuidadosamente ao redor do esquife. Sua respiração é ofegante e nervosa. Olha em volta o tempo todo, com medo de que alguém apareça. Por fim, consegue abrir o caixão batendo com a pá nas trancas frágeis que o mantém selado. Levanta a tampa e vê o corpo de Claudio rodeado de flores. Ela arranca todos os adornos que envolvem o amado, tira sua própria roupa preta e fica apenas com a camisola de renda igualmente preta, a preferida de Claudio. Uma rajada de vento espalha pétalas de flores mortas pelo imenso gramado do cemitério. Luiza tira da bolsa um frasco de vidro e bebe seu conteúdo de uma só vez. Deita em cima do morto e logo depois, bem devagar, fecha a tampa do caixão.

Mentes consumistas

Silhueta esguia, sobrancelhas esculpidas e olhar intenso. Vestido preto espetacular, joias e cabelos em perfeita harmonia. Suzana, uma mulher extremamente interessante e de beleza incomum, abre o portão de sua casa no mesmo instante em que Arnaldo, seu marido, se aproxima com uma SUV preta. A mulher entra no carro toda sorridente. Após observá-la, Arnaldo acelera com uma expressão contrariada.

— Gostou, amor? — pergunta Suzana, sorridente.

— Suzana, você está linda, mas comprou outro vestido? Cadê aquele que eu te dei para a festa de hoje? — O homem solta um suspiro. — Você tem comprado roupas demais, Suzana.

— Ah, tá. Antigamente você adorava desfilar comigo na frente dos seus amigos. Agora está me achando feia? — questiona a mulher, fazendo biquinho com seus lábios divinos como uma cravina vermelha.

— Você sabe que não é nada disso. Beleza nunca foi o seu problema.

— Então o que é, Arnaldo?

— Antigamente você não comprava um vestido desses por dia, Suzana. Só isso.

— Eu sempre me vesti bem. E nem foi tão caro assim — garante a mulher, sem muita certeza.

— Ah, é? Quanto foi, então? Cem mil? — pergunta em tom de ironia. — E esse colar de brilhantes? Eu nunca vi você com ele.

Suzana olha para o marido com raiva.

— O que foi, Arnaldo? Deu agora para reclamar do que eu compro ou deixo de comprar?

— Você está ficando descontrolada, Suzana. Estamos indo para um evento beneficente organizado por você para crianças com câncer. E você acha normal gastar com roupas e joias um valor maior do que o que vamos doar?

— Para com isso, Arnaldo! Eu gosto do que é bom, por isso amo diamantes e caridade. Uma coisa não exclui a outra. Você sabe que eu amo aquelas crianças.

— Claro que sei. Por isso mesmo estou preocupado. Não faço a menor ideia do que está acontecendo com você, Suzana. Tem ido ao analista?

— Você anda implicante, hein? O trabalho foi tão ruim assim hoje? Que mau humor!

Arnaldo faz uma pausa, mas logo volta ao assunto, ainda que num tom mais ameno.

— Você não está enxergando o que está acontecendo, Suzana. Com esses sapatos novos, essas pulseiras, o colar de brilhantes e o vestido, você deve ter gastado quase oitocentos mil reais! Oitocentos mil reais para ir a um jantar beneficente que você mesma organizou!

— Ainda bem que chegamos — diz Suzana, aliviada por ver a placa do restaurante.

Os dois são recebidos na entrada por outros dois casais. Após a troca de cumprimentos, seguem em direção à mesa reservada para ambos e vão cumprimentando outras pessoas no caminho. Os convidados não tiram os olhos de Suzana, que sorri para todos. Alguns garçons servem champanhe e uísque, além de canapés e outras iguarias doadas pelos empresários que apoiam o nobre evento. Os três casais ocupam a mesma mesa.

— Você deve ter muito orgulho da Su, né, Arnaldo? É impressionante como ela consegue unir as pessoas com sua simpatia e carisma — elogia Laura, uma das mulheres à mesa.

— Claro. Acho sensacional. Dou todo o apoio. — Arnaldo sorri meio sem jeito e bebe um copo d'água de uma vez só. Olha em volta e vê a alegria transbordar por todos os lados em meio a conversas animadas. Empresários, artistas, investidores, a nata da sociedade carioca está ali. Arnaldo levanta da mesa e vai dar uma volta no salão cumprimentando pessoas e trocando rápidas conversas. Olha para Suzana, que está no meio de um grupo, conversando alegremente. Pouco depois, um tipo obeso, que já havia exagerado nos drinques, sobe no pequeno palco armado, pega o microfone e, sorridente como um animador de festa infantil, pede a atenção de todos com voz pastosa.

— Senhoras e senhores, é com muita satisfação que chamo ao palco a grande criadora deste evento tão importante para todos nós e, principalmente, para as crianças do Lar Esperança Infantil. Por favor, venha até aqui, Suzana Drumond!

A mulher se levanta e é ovacionada por todos enquanto sobe no palco.

— Obrigada, queridos amigos. Eu queria agradecer a presença e a generosidade de todos vocês. Esses recursos serão integralmente aplicados na compra de equipamentos, remédios e outros itens necessários para que o Lar Esperança Infantil possa atender cada vez melhor esses serzinhos tão especiais. Muito obrigada de coração a todos vocês, meus amigos queridos! As crianças agradecem!

Suzana é novamente ovacionada. Abre o envelope entregue pelo companheiro de palco e declara:

— É com muita satisfação que informo a vocês, queridos amigos, que o valor total arrecadado nesta noite para o Lar Esperança Infantil foi de... — Ela faz uma pausa. Fica um pouco pálida. Desconcertada, olha para a mesa onde está Arnaldo. Entretanto, parece logo se recuperar e abre um novo sorriso. — Oitocentos mil reais!

Todos aplaudem com muito entusiasmo. Simone e Laura, suas amigas inseparáveis, são as mais empolgadas. Suzana, mesmo um pouco abalada com a coincidência numérica, mantém a expressão animada. Já Arnaldo aplaude lentamente e com um sorriso irônico que só a mulher percebeu.

Arnaldo entra em casa com uma pasta de executivo numa das mãos e já afrouxando a gravata com a outra. Deixa a pasta em cima da mesa. Passa em frente à sala de TV e, ao ver que a luz está acesa, entra. Não tem ninguém. Arnaldo olha um tempo para o televisor desligado com uma expressão desconfiada. Estranha também as poltronas novas. Fica mais intrigado ainda quando descobre um espetacular *home theater*, ainda envolvido pelo plástico protetor, logo abaixo da TV. Olha em volta e vê caixas de som espalhadas por todo o ambiente. Seu semblante se torna sério e ele fica paralisado por alguns segundos. Depois vai para o quarto chamando pela mulher.

— Suzana! Suzana! Cadê você?

Tira o paletó e a gravata e os põe num cabide. Quando se aproxima do armário, nota que a porta de cima da parte de Suzana está entreaberta. Empurra a porta com força para fechá-la, mas esta se abre de vez e várias sacolas caem sobre ele. Arnaldo se vê soterrado por aquele mundo de bolsas, embrulhos, caixas de sapatos, roupas e várias outras coisas. Confuso, abre a parte de baixo do armário de Suzana e encontra mais sacolas de compras, todas ainda lacradas, intocadas. Vasculha as demais portas do imenso closet da mulher e percebe que está abarrotado de sacolas de todas as grifes imagináveis. Resolve ligar para Suzana.

— Oi, amor! Já está em casa? — pergunta a mulher, sempre radiante.

Arnaldo olha para aquele estranho mundo de sacolas antes de responder, irritado:

— Não sei, Suzana. Estou aqui em dúvida se entrei na casa errada — responde sarcástico.

— Por quê, amor?

— Fui fechar seu armário e quase fiquei soterrado por sacolas e mais sacolas de compras! E tem outras... centenas... sei lá... espalhadas pelo seu closet... em toda parte! Sem falar na TV, que me pareceu diferente da que você comprou na semana passada.

Suzana ficou em silêncio por um breve momento, mas não recuou.

— O que é isso, Arnaldo? Que obsessão é essa com o que compro ou deixo de comprar?

— Obsessão? Suzana, caiu um shopping em cima de mim quando fui tentar fechar seu armário e você pensa que eu devia achar isso normal?

— Arnaldo, não exagera. E agora não posso falar, amor! Quando eu chegar a gente conversa. Beijos!

A mulher desliga o telefone e sorri. Está num quarto de hospital diante de uma menina que não para de sorrir. Uma enfermeira está ao seu lado.

— Como está minha Silvinha hoje, hein? — ela cumprimenta uma garotinha calva que não parece ter mais de sete anos. Mesmo com tubos no nariz, a menina sorri o tempo todo com os olhinhos brilhantes.

— Ela está melhorando, né, Silvinha? Daqui a pouco vai voltar a brincar com os amiguinhos — diz a enfermeira com seu otimismo inabalável.

Suzana mexe na bolsa e tira lá de dentro uma boneca. Mostra para a menina e a coloca do seu lado na cama. Silvinha abre de novo um sorriso feliz. Aperta a boneca contra o peito.

— A minha Silvinha vai ficar boa, viu? A dindinha vai trazer os melhores equipamentos e remédios do mundo, viu?

A garotinha continua sorrindo, como se as palavras de Suzana não fizessem nenhuma diferença para seu estado emocional. A boneca nova tratou de tornar desimportante qualquer palavra. Suzana percebe a alegria imensa nos olhos de Silvinha. Observa a menina por mais alguns instantes, mas não consegue suportar por muito tempo aquele olhar cheio de vida, transcendente à morte.

— Bom, agora dindinha vai visitar os outros afilhados dela. Semana que vem eu volto pra te visitar, viu, minha linda? — diz Suzana, saindo apressada do quarto.

Já no corredor, orienta a enfermeira:

— Vilma, eu não quero que falte nada pra ela, viu? Qualquer coisa que precisar, me liga, combinado?

— Pode deixar comigo, dona Suzana. Eu sei como a Silvinha é importante pra senhora. Essa menina é mesmo muito especial. A senhora é mais que uma madrinha, é um anjo da guarda para essas crianças.

— Não faço mais que a minha obrigação. Você sabe que eu tenho dois filhos, né?

— Sim. A senhora comentou uma vez. Eles estão bem?

— Estão ótimos! Eu morro de saudade deles. A Mariana tem vinte anos e foi fazer intercâmbio na Inglaterra. Já o João Pedro completou dezoito e mora com meu irmão, Paulo, na Suíça.

— Que bom! Mas a senhora deve mesmo sentir muito a falta deles, né?

— Ah, sinto sim. Mas a gente cria os filhos pro mundo, né, Vilma? Eles já sabem muito bem o que querem. Todos nós merecemos mais da vida. Principalmente as crianças.

Suzana frequenta uma clínica de estética uma vez por semana. Simone e Laura também são figurinhas fáceis no lugar. Nesse momento, uma está na maca de drenagem linfática e a outra aplica botox capilar. Suzana chega atrasada e agitada. O cabeleireiro olha para ela e declara:

— Nossa, querida! Parece até um tsunami descontrolado! Cruzes!

Ela tenta sorrir, mas acabara de sair do hospital de crianças com câncer. Só um psicopata ficaria indiferente a uma tarde de conflitos entre morte e esperança.

— Agenor, querido, hoje tá sendo difícil, viu? Só mudando o visual pra ver se meu astral melhora.

O cabeleireiro sorri e fica animado.

— Ô minha Su linda, pode deixar que eu vou te deixar um arraso, meu amor!

— O que houve, Su? — quer saber Laura. — Você tá com uma cara triste.

— Estive no hospital infantil agora há pouco. A Silvinha, uma das crianças que eu conheço e visito há três anos, está no CTI. A coitadinha parece que não está respondendo ao tratamento.

— Que chato, amiga. A vida é mesmo um sopro, né? — filosofa Simone.

— Calma, Su. Se Deus quiser essa criança vai ficar boa logo, logo. Agora deixa eu cuidar do seu visual. Xô, baixo astral! — Agenor fala como quem entoa um mantra de esperança.

Agenor demonstra habilidade e talento ao cortar e escovar os cabelos da linda cliente. Suzana suspira e esboça um sorriso ao ver o resultado. Simone e Laura estão ao seu lado, esperando para saírem juntas. Quando as três amigas já estão na porta, Agenor grita, aflito:

— Su! Espera, querida. Você está levando a minha bolsa. A sua está aqui.

Suzana volta e leva um susto.

— Mas é igualzinha à minha...

— Ué, quer dizer que eu não posso ter uma bolsa chique? Também sou filho de Deus, minha querida! — diverte-se Agenor.

— Não sabia que você comprava nessa loja. Tá podendo, hein? — comenta Laura.

O cabeleireiro dá uma gargalhada. Depois adquire um ar de personagem de mistério.

— E quem disse que eu comprei lá? Vocês não sabem da missa a metade!

As três amigas ficam curiosas e se aproximam.

— Conta tudo, Agenor! Qual é o babado? Comprou uma bolsa falsa no camelô ou na internet? — pergunta Laura.

Agenor assume uma expressão blasé, como se estivesse ofendido.

— Falsa? Eu, hein! De jeito nenhum, querida.

Suzana coloca ambas as bolsas diante de si e as analisa, assombrada.

— Mas é igualzinha mesmo! Incrível! As duas parecem ser feitas com o mesmo material.

— Podem comparar à vontade, queridas. São idênticas. — Agenor delicia-se com a perplexidade das mulheres.

— São mesmo cara de uma, focinho da outra! Conta logo o babado, Agenor. — Laura fica impaciente.

— Vou contar, mas se vocês contarem pra alguém eu vou ficar arrasado! — Agenor frisa cada palavra e está claramente saboreando aquele momento de atenção exclusiva.

— A gente promete! — as três falam em uníssono.

— Então deixa eu contar o babado. Primeiro: eu sei que, quando vocês fazem compras, nunca olham para as etiquetas das suas roupas, sapatos, tênis, bolsas e todo o resto. Mas fiquem sabendo que é tudo fabricado na China, no Vietnã, em Taiwan... Vocês estão por fora.

As três amigas trocam olhares intrigados, uma reação típica de quem escuta uma novidade. Pegam a bolsa da Suzana e procuram a etiqueta para conferir.

— *Made in China* — lê Suzana.

— Olhem! A etiqueta da bolsa do Agenor é igual. *Made in China!* — confere Simone, cada vez mais surpresa.

— Falem baixo! — Agenor olha em volta. — O negócio é o seguinte: a grife que faz essa bolsa, por exemplo, encomenda cinco mil peças de uma fábrica chinesa. Todo mundo sabe que a mão de obra lá é, digamos, bem mais barata. Aí a fábrica vai lá e, em vez de fabricar cinco mil bolsas, fabrica dez mil. Entrega a quantidade prometida para a grife que fez a encomenda e adivinha o que faz com as outras cinco mil que fabricou na encolha? — pergunta ele num sussurro.

— Vende no mercado negro! Que loucura! — conclui Suzana, a mais impressionada entre as três.

— O babado é forte mesmo, Agenor! Quem diria, hein?

— Mas por que ninguém fala disso? Nenhum jornal ou revista de moda, por exemplo?

— Querida, é tudo feito na encolha. E não interessa pra ninguém que isso vaze, né?

— Faz sentido. Aí a única coisa que as grandes grifes podem fazer é dizer que tudo que não é vendido em suas lojas é falso.

— Exatamente, minha querida. E fica tudo por isso mesmo. E com todo mundo feliz!

No dia seguinte, Suzana vai até a loja da grife famosa.

— Não sei se quero mais essa bolsa — diz para a gerente. — Sabia que existem outras iguais pela décima parte do preço?

— Dona Suzana, a senhora compra aqui há anos. Sabe que só trabalhamos com produtos originais — retruca a gerente, impassível.

— Eu sei, querida. Não vim aqui causar escândalo. Mas você sabia que tem um monte de bolsas originais como essa sendo vendidas por aí? Vem tudo da China e de outros países da Ásia.

— Isso é normal, dona Suzana. Nossas fábricas se localizam em alguns países orientais. Mas essas que são vendidas em qualquer outro lugar que não seja numa das nossas lojas oficiais com certeza são falsas. As imitações às vezes enganam mesmo. — A gerente parece acreditar em cada palavra, como se já as tivesse repetido. Ao ver que Suzana baixa um pouco a guarda, muda de assunto:

— Ah! Já viu a coleção nova que acabou de chegar?

Suzana olha para as bolsas de modelos diferentes da sua e sente uma forte palpitação no peito. O estado de transe volta. Sua respiração fica mais forte. Dos seus olhos saem dois fachos de luz que realçam as bolsas tal qual aqueles holofotes que iluminam os artistas no palco do Teatro Municipal. Todo o resto ao redor se torna escuro.

— São um espetáculo, não são? — pergunta a gerente, estranhando a mudança súbita na expressão da mulher.

Suzana está transfigurada. Esquece totalmente do motivo que a levara até ali.

— São maravilhosas! — diz, em transe. — Só chegaram esses dois modelos?

— Chegou também este aqui que nem foi pra vitrine ainda.

— Eu quero as três! Nossa! Parece que foram feitas pra mim! São a minha cara!

Suzana sai do shopping com outras sacolas além das bolsas novas. Quando chega ao estacionamento e está prestes a entrar no carro, dá de cara com Agenor, o cabeleireiro da clínica de estética, acompanhado de outro homem. Ambos também carregam um monte de sacolas.

— Su! Que surpresa boa, querida! — Agenor a cumprimenta, eufórico.

— Oi, querido! Que coincidência! Tudo bem?

Simpático como sempre, Agenor apresenta os dois:

— Su, esse é o Ronaldo. Ronaldo, essa é a Suzana, aquela amiga chi-que-ré-sima que é minha cliente lá na clínica.

O homem alto, forte e moreno aperta a mão de Suzana e sorri. Agenor volta à carga.

— Su, hoje a gente perdeu um pouquinho a linha, mas o Ronaldo não pode ver um shopping que já quer comprar tudo!

— Eu, né? Sei... — Os olhos de Ronaldo vão de Agenor para Suzana. — Se eu deixar, o Agenor leva esse shopping inteiro!

— Olha, queridos, eu adoraria conversar mais, só que estou com um pouquinho de pressa. Depois nos falamos, tá? — E, com isso, Suzana abre rapidamente a porta do carro.

— Claro, querida. Vai lá! Nós precisamos ir também. Vamos, Ronaldo! Vamos! — Agenor sai puxando o homem que tinha quase o dobro do seu tamanho pelo estacionamento.

Suzana entra em casa com as sacolas nas mãos, quase que na pontinha dos pés. Em vez de ir para o quarto, entra na cozinha e vai até o quarto de empregada. Abre a porta e vê uma mulher deitada, assistindo à TV.

— Oi, Drica, tudo bem?

— Que susto, dona Suzana! A senhora está bem?

— Estou ótima! Faz um favor pra mim? Coloca essas sacolas no seu armário até eu arranjar um lugar pra elas?

— Claro, dona Suzana. Eu dou meu jeito aqui.

— Obrigada, querida! E boa noite!

— Boa noite, dona Suzana. Ah, o seu Arnaldo já chegou.

— Eu sei. Vi o carro dele na garagem. Até amanhã.

— Por que a senhora está falando tão baixo?

Suzana parece ter sido pega de surpresa.

— Ah... Eu quero... quero fazer uma surpresa para o Arnaldo. Beijos e boa noite, querida!

Ela sai rapidamente, deixando a empregada sem entender nada. Vai para o quarto. Como sempre acontecia nos dias de semana, Arnaldo já estava na cama com seu inseparável iPad.

— Oi, amor! Como foi seu dia?

— Sem grandes novidades. E o seu?

— Mais ou menos, amor. Estou muito preocupada com a Silvinha, uma das crianças que está no CTI do hospital.

— Que chato! Mas você sabia desde o começo que ia enfrentar uma barra pesada. Eu te avisei.

— Eu sei, Arnaldo, mas não consigo me conformar com a morte. Ainda mais de uma criança, com uma vida inteira pela frente.

— Realmente, algumas coisas neste mundo são inexplicáveis. Crianças com câncer é uma delas. Por isso sou tão cético com todas as religiões.

— Eu não. Acho que, apesar de tudo, essas crianças nos dão lições de vida e esperança. Deus está em nós, por isso temos o dever de ajudá-las.

— É, pode ser, mas é difícil aceitar certas coisas neste mundo. Entretanto, a vida é assim, não é o que dizem?

— Pois é. Enfim, vou tomar um banho bem quente e já volto, amor.

— Ah, parabéns por hoje, viu, querida?

— Ué? Por quê? — pergunta Suzana, espantada.

— Pela primeira vez no mês, você não chega cheia de sacolas de compras. O shopping estava fechado? — questiona o marido.

— Não começa com suas ironias, Arnaldo. — Suzana entra no banheiro e bate a porta com força.

— Calma, amor. É brincadeira. Mas fico feliz que você tenha mudado o foco.

Do outro lado da cidade, Agenor e Ronaldo discutem na sala do pequeno apartamento do primeiro. É um lugar simples, mas repleto de eletroeletrônicos de última geração. Agenor anda de um lado para o outro, muito nervoso, com um extrato bancário nas mãos.

— Rô, não tenho mais um centavo no banco! Meu Deus! Quebrei! — ele se lamenta antes de desabar sobre o sofá.

— Eu te avisei várias vezes que você estava comprando coisas demais. Agora acabou a farra. E, pelo visto, o dinheiro também — diz o amante, sério.

— Ih, deu pra me regular agora? Eu, hein! Só comprei coisas necessárias para levar uma vida minimamente digna. E você fica aí me criticando. O que eu posso fazer se as coisas aumentam de preço quase todos os dias?

— Gastando o que você anda gastando, nem precisava aumentar nada, né? — Ele dá meia-volta e contempla a sala. — Olha só quanta coisa desnecessária!

— Desnecessária? — Agenor levanta a voz. — O que por aqui é desnecessário, por exemplo, Ronaldo?

— Por exemplo? Pra que uma TV de sessenta polegadas nesta sala do tamanho de um ovo? Nem dá pra assistir nada direito! E aquela bicicleta ergométrica cheia de luzes piscando? Nunca vi você pedalar nem uma vezinha sequer. Virou cabide. Isso sem falar nos dois liquidificadores. Pra que comprar dois liquidificadores, Agenor?

Agenor não se abala com as perguntas.

— Por um motivo óbvio: estava em promoção e você sabe que eu não posso perder essas oportunidades. E vai que um deles quebra? Por isso, pode parar logo com esse seu showzinho. Até parece que você não aproveita também.

Ronaldo olha, impotente, para Agenor.

— Tudo bem, tudo bem... Olha, eu vou lá no banco conversar com o gerente pra ver se consigo um empréstimo pra cobrir sua conta e pagar o cartão. Porque a minha já está zerada e cancelei meu cartão. Cartão de crédito é uma ilusão. Dá um poder de compra que a gente não tem.

— Você cancelou o cartão? — pergunta Agenor. — Como assim? E agora? Vamos viver de quê? Ficou louco?

— Vou viver do dinheiro que eu ganho. Você devia fazer o mesmo.

Ronaldo sai e bate a porta atrás de si, sem dar tempo de Agenor reagir.

Após receber um telefonema do hospital, Suzana fica nervosa e sai à procura da chave do carro. Remexe a bolsa que descobriu ser igual à de Agenor. Enfia a mão no fundo e encontra as chaves, presas embaixo de todas as outras coisas que carrega. Puxa tão forte que acaba rasgando todo o fundo. É quando encontra algo inusitado: um papel dobrado que estava costurado dentro do forro da bolsa. Intrigada, pega o papel e vê uma mensagem escrita. "*Help me, please!*" (Ajude-me, por favor!) Embaixo, havia o que parecia ser um endereço escrito em mandarim, com uma curta explicação em inglês. Ela guarda o bilhete de volta na bolsa e sai.

No caminho para o hospital, lembra que as bolsas eram fabricadas na China. Fica intrigada e grava no celular uma mensagem para lembrá-la daquilo depois que sair do hospital. Entretanto, quando entra apressada no quarto de Silvinha, encontra Vilma com os olhos vermelhos de quem muito chorou. Suzana olha para a cama e vê um lençol cobrindo o corpo da menina. Ela abraça a enfermeira e chora copiosamente. Afasta o tecido do rostinho da criança e percebe que ela está abraçada à boneca que havia lhe dado de presente.

— Minha Silvinha! Meu Deus, por quê?

— Que Deus a tenha entre seus anjos mais amados, dona Suzana. Os médicos fizeram tudo que podiam.

As duas ficam em silêncio, chorando juntas durante um bom tempo.

Após o enterro de Silvinha, Suzana não consegue suportar a presença da morte. Sai sozinha e vai para um shopping, depois tenta ligar para Arnaldo. A ligação cai na caixa postal. Joga o celular no chão do carro e chora durante um bom tempo sobre o volante. Um segurança se aproxima e pergunta se ela precisa de ajuda. Suzana agradece, mas afirma que está tudo bem. Desce apressada e entra no banheiro do shopping. Retoca a maquiagem, mas não consegue apagar a tristeza. Respira fundo e fica um tempo olhando para a própria imagem no espelho.

Decide caminhar pelas lojas, sentindo-se um pouco mais calma. Olha para as vitrines e o vaivém das pessoas totalmente alheias à morte de Silvinha, até que passa em frente a uma loja de eletrônicos e seu olhar encontra uma TV ultra HD de 8K de cem polegadas. Sem perceber, entra no mesmo estado de transe de quando viu as bolsas na loja de grife. Sua respiração fica ofegante e dois holofotes que, como sempre, só ela vê saem dos seus olhos e iluminam o aparelho. Tudo mais ao redor se torna escuro. Como que hipnotizada, vai até a gigantesca TV. Um vendedor se aproxima e comenta, sorridente:

— Cinema de verdade em casa, só com esta TV.

Suzana continua eufórica.

— Que maravilha! Outro dia comprei uma lá pra casa, mas nem de longe se compara com essa. — Ela admira cada detalhe do aparelho. — E, além disso, estou precisando de um presente, sabe? A vida é muito curta. E eu mereço, não mereço?

— Claro que a senhora merece! — concorda o animado vendedor. — E é ótimo poder se presentear com algo tão extraordinário. A senhora ainda pode dividir em até doze vezes sem juros no cartão.

No dia seguinte, a campainha toca e a empregada olha pela janela do segundo andar. Ela vê um caminhão de uma loja parado e quatro homens na porta. Drica vai até a sala de TV onde Arnaldo assiste a um telejornal.

— Dr. Arnaldo, tem um caminhão de uma loja aí na porta. Disse que é pra fazer uma entrega.

— Entrega? São quase oito da noite, Drica.

— Pode ser alguma coisa que a dona Suzana comprou... — A voz de Drica é hesitante.

— Tudo bem. Fala com o Braga pra ver isso — ordena Arnaldo distraído, mais interessado no jornal, que noticia uma nova alta do dólar.

Braga é o segurança da casa. Ele e Drica recebem os homens, que confirmam o endereço e entram na casa com uma gigantesca caixa de papelão com o televisor.

Drica entra de novo na sala de TV, agora ainda mais nervosa.

— Dr. Arnaldo, chegou a televisão nova que a dona Suzana comprou.

— Chegou o quê? — Arnaldo finalmente desvia os olhos do jornal. — Você está brincando, né, Drica?

Arnaldo vai até o corredor e vê os quatro homens carregando uma caixa gigantesca.

— Coloca onde, doutor? — pergunta um dos homens.

Arnaldo fica paralisado, sem saber o que responder. Aponta para Drica.

— Ela vai te dizer.

— Mas, dr. Arnaldo... E o que eu faço com a outra TV? Coloco onde? No meu quarto não tem mais lugar! A dona Suzana já colocou um monte de sacolas de compras lá.

Ao ouvir aquilo, Arnaldo passa as mãos pelo rosto. Não consegue nem explodir de raiva, como Drica esperava. Mantém uma expressão que mistura apatia com impotência. Preocupada, Drica dá uma orientação qualquer para os entregadores. Enquanto isso, Arnaldo vai para o quarto e sai de lá com uma mala.

Drica não o vê deixar a casa. Arnaldo avisa a Braga que vai sair. O homem fica vigiando o portão enquanto Arnaldo sai da garagem acelerando forte.

Agenor chora sentado no sofá da sala, desolado. Ronaldo, de braços cruzados e rosto sério, olha para ele. Dois homens levam embora a TV de sessenta polegadas. Depois entra outro e pede que Agenor saia do sofá. Um outro entra e o ajuda a retirar o móvel. Depois ainda levam a bicicleta ergométrica e um armário.

— Vocês não têm coração, né? Estão levando a minha vida! — grita Agenor, agora de pé.

— Eu te avisei, não te avisei? — lembra Ronaldo. — Agora o banco tomou tudo que é seu e, mesmo com o dinheiro que peguei emprestado pra te ajudar, sua dívida ainda passa dos dez mil reais.

— Mas você vai deixar que eles levem tudo que eu comprei com o meu trabalho assim, sem mais nem menos? — As lágrimas rolam soltas pelo rosto de Agenor.

— Cai na real, cara. Você estourou três cartões de crédito e ainda ficou devendo seis prestações da TV. Você queria o quê?

— Queria que você fizesse alguma coisa, Ronaldo! Estamos arruinados!

— Estamos? Você está. Eu tô fora.

— Como assim, Rô? Você vai me abandonar só por causa disso?

— Sinto muito, querido, mas quem mandou você não me ouvir?

Agenor fica agitado e começa a disparar xingamentos como uma metralhadora descontrolada.

— Você é cruel! Um... um... cachorro egoísta, isso sim! Ingrato! Pão-duro!

— Pode xingar à vontade, Agenor. Cansei dessas suas extravagâncias e dessa mania de comprar tudo que vê pela frente.

— Sua bicha insensível!

Agenor tenta agredir Ronaldo, mas este é muito mais forte e imobiliza o namorado com facilidade.

— Fica quieto! Cansei desses seus ataques também. Não quero mais saber de você, Agenor. Se vira porque esse bofe aqui está partindo pra outra!

Ronaldo pega sua mala e sai pela porta da frente com passos firmes e decididos. Agenor vai até a portaria, implorando que o outro não se vá. É tudo em vão. Tudo que Agenor pode fazer é assistir enquanto seu agora ex entra num táxi e vai embora.

Agenor volta para casa, desesperado. Tenta ligar para Suzana, mas a ligação cai na caixa postal. Olha em volta e vê seu pequeno lar quase vazio, inclusive de esperança. Além de algumas roupas espalhadas, sobraram apenas os dois liquidificadores e uma estante na sala com a imagem de Nossa Senhora Aparecida. Ele vai até o banheiro, pega uma gilete e fica olhando para a santa, aos prantos.

Arnaldo está deitado numa cama de hotel olhando para o teto. Nem percebe o passar das horas. Quando pega o celular, suspira ao ver centenas de chamadas perdidas de Suzana. Resolve ligar para a esposa.

— Alô! Arnaldo? Onde você está?! — pergunta Suzana, desesperada. — O que aconteceu? Você não está apaixonado por outra, está? É isso, né? Sabia!

Arnaldo deixa a mulher tagarelar até se cansar.

— Agora posso falar, Suzana? — A voz de Arnaldo expressa mais exaustão do que calma propriamente dita. — Estou num hotel. Cheguei ao meu limite.

— Como assim, Arnaldo? O que você está querendo dizer?

— Suzana, como se não bastasse comprar meio shopping, agora você resolveu comprar o cinema do shopping. Juro pra você que não aguento mais...

— O quê? Eu compro uma TV nova e você sai de casa por causa disso?

— Não. Saí porque essa é a quarta TV nova que você compra em três meses. Sem falar nas sacolas e mais sacolas de compras espalhadas por toda a casa. Não aguento mais, Suzana. Juro que não aguento mais isso.

— Você é um insensível, Arnaldo. Eu comprei a TV porque a Silvinha morreu.

Arnaldo troca o estado de impotência para o de tristeza.

— Não é nada disso, Suzana. Você sabe muito bem. Não use a morte da menina para justificar essa sua doença consumista. E agora preciso ir para o escritório. Tenho um monte de coisas para resolver. Parece que vou ter que viajar para a China.

— China? Você quer fugir de mim, Arnaldo?

— Não inventa, Suzana. Um dos maiores congressos de comércio exterior será realizado lá e eu não posso faltar. A China concentra grande parte das fábricas do mundo e exporta para todos os cantos.

— É... Estou começando a descobrir isso. — Suzana se lembra da bolsa e do papel com o pedido de socorro. — Posso ir com você?

— Para a China? —Arnaldo se assusta. — É uma viagem longa, Suzana.

— Não importa. Tô precisando esquecer um pouco daqui. Arejar a cabeça...

Arnaldo pensa um pouco e seu rosto se ilumina.

— Humm... Sabe que é uma boa ideia? Assim consigo manter você longe dos shoppings!

— Ih, Arnaldo, vai começar?

Arnaldo e Suzana chegam a Pequim. Tomam um táxi para ir do aeroporto ao hotel, e Suzana pega o bilhete com o endereço e o pedido de socorro. Arnaldo ainda não sabe de nada. Nem imagina que Suzana passou horas e mais horas pesquisando aquele endereço na internet, antes de embarcarem para a China.

— Amor, posso te pedir um favor? — pergunta ela.

— Se não for para parar em algum shopping, tudo bem — responde Arnaldo, bem-humorado.

— Não é nada disso. — Ela pega o papel com o endereço e o pedido de socorro e resolve contar tudo ao marido.

— Mas o que é isso? — quer saber Arnaldo, curioso.

— É um pedido de socorro que encontrei dentro de uma bolsa minha que foi fabricada aqui. — Suzana explica tudo em detalhes para o marido. Por fim, diz que o lugar fica a apenas duas horas dali.

— Hummm... Ok. Vamos lá, Suzana. O congresso é só depois de amanhã. Prefiro a Suzana determinada em ajudar as pessoas à que só quer saber de comprar.

Ela fica em silêncio dessa vez. Deixam as malas no hotel e, duas horas depois, partem de táxi para o endereço do bilhete. No caminho, passam pela fábrica da bolsa da grife famosa. Suzana pede para

Arnaldo entrar. Um segurança impede a entrada deles. O motorista do táxi ainda tenta convencer o homem, mas o segurança não cede. Mesmo da porta, Arnaldo e Suzana conseguem ver a marca da grife por toda parte.

Seguem o caminho até que encontram o endereço que estava no papel, que fica a uns quarenta e poucos quilômetros da fábrica. É uma casa miserável, em um distrito distante e muito pobre. Uma mulher envelhecida abre a porta. Ela veste um surrado uniforme de trabalho sem nenhuma marca, apenas um número estampado em preto no lado esquerdo.

Logo de cara, a mulher percebe que o casal não é dali e que também não tem nenhuma relação com aquela fábrica. Suzana pega o papel e mostra para a mulher, que leva as mãos ao rosto. Suzana troca olhares com Arnaldo, que está muito sério. O casal fica ainda mais abalado quando a mulher pega outro papel igual no bolso do uniforme e começa a falar, olhando, desesperada, para os dois:

— *Help me, please! Help me!*

Suzana não consegue dizer nada. Seus olhos estão fixos, numa espécie de transe. Só que dessa vez era um transe sem holofotes, sem brilho. Vê a marca da grife famosa nos olhos daquela mulher. Assustada, desaba no chão e chora copiosamente, abraçada nas pernas de Arnaldo. Ele acaricia o cabelo de Suzana e olha tristemente para a mulher, que não para de mostrar o papel e repetir:

— *Help me, please! Help me!*

Mentes depressivas

Naquela manhã de céu azul de doer os olhos, Marcelo e Kátia se encontram no hall dos elevadores daquele moderno prédio na zona sul de São Paulo. Depois da troca de sorrisos e comentários óbvios sobre o tempo, entram no elevador.

— Nossa, Marcelo. Você não aprende, hein? — diz Kátia bem-humorada, ajeitando a gravata do colega de trabalho.

— Ah, muito obrigado — agradece, envergonhado.

— De nada, querido. Mas fico impressionada com essas coisas. Já reparou que todo mundo que é brilhante na profissão se atrapalha nas coisas mais banais do dia a dia?

— Não sei… É?

— Claro! Olha pra você, Marcelo. Um verdadeiro gênio da eletrônica... O mago dos smartphones... Todo mundo do mercado fala isso. Mas ninguém sabe que esse cara genial não sabe dar nem um nó na gravata. Acho isso hilário, sabia?

Marcelo faz uma força sobre-humana para sorrir, mas tudo que consegue deixar escapar é um protocolar entreabrir de lábios.

— Será que você sabe tomar banho? — Kátia continua, divertindo-se com o amigo.

A interessante morena de quarenta e três anos sabe ser irônica sem ofender.

— Salvo pelo gongo, hein? — ela brinca quando o elevador freia e abre a porta. Marcelo sai apressado, com Kátia rindo atrás.

— É brincadeira, Marcelo. Mas você nunca fez o tipo gênio tímido. Nunca teve esse comportamento de nerd. É forte, alto e bonito. Será que foi o casamento com a Ana que te deixou assim?

— Assim como, Kátia? — Marcelo levanta a voz pela primeira vez. — Não viaja!

— Tô falando sério agora, amigo. Eu adoro a Ana, mas você sempre foi simpático e brincalhão. Aliás, encontrar um quarentão bonito e inteligente como você não tá fácil não, viu?

— Para com isso, Kátia. Tenho muito que fazer hoje.

— E quando é que você não tem, Marcelo?

Entram no escritório com Kátia insistindo nos comentários e Marcelo calado, apertando o passo. Ele chega à sua mesa ao lado da janela e vai logo ligando o computador. Depois tira o paletó e senta na cadeira, suspirando. Afrouxa a gravata e olha para o céu, assustado.

— Acho que vai cair uma tempestade daquelas — comenta baixinho para si mesmo. Uma mulher que senta a uma mesa próxima ouve, balança a cabeça e faz cara de quem acaba de ouvir uma das piadinhas mais sem graça sobre o tempo.

No fim do dia, Marcelo e Kátia descem juntos no elevador. Para variar, ela vai tagarelando animada e o homem tenta sorrir de vez em quando. São amigos há mais de quinze anos e, mesmo depois de Marcelo se casar com Ana e Kátia com Rodolfo, a vida não foi capaz de separar o que a verdadeira amizade uniu.

Mal chegam à rua, Kátia para de falar e olha atentamente para o amigo, que desvia o olhar, impaciente.

— Que foi agora, Kátia?

— E você ainda pergunta? Essa sua cara de bunda está insuportável.

— Porra, Kátia! Vai começar? — Ele desvia o olhar da amiga e mira o céu. Sua irritação aumenta. Esfrega os olhos, nervoso. — Olha para o céu, Kátia. Você já viu um céu assim tão cinza? Acho que...

— Tá brincando, né, Marcelo? — interrompe a mulher.

— Como assim?

— O fim de tarde tá lindo! E olha que em São Paulo quase ninguém mais olha para o céu.

— Pra ver o cinza, ninguém precisa olhar pra cima — retruca Marcelo.

— Será que o seu bom humor voltou?

— Viu? E você fica dizendo que eu mudei... — declara Marcelo, nada convincente.

— Olha lá Vênus! Sabia que às vezes ele aparece antes de qualquer estrela? Vamos ter uma noite linda.

Kátia percebe que o amigo continua apático. Normalmente, convidava todo mundo do escritório para um chope depois do trabalho. Conhecia muito bem o espírito alegre e irônico do amigo.

— Humm... Olha, se amanhã você aparecer aqui com essa cara de bunda, eu vou tomar providências, viu? Vou ligar pra Ana e contar tudo! — Kátia dá um beijo no rosto do amigo e entra num táxi. Marcelo, ainda um tanto confuso, pega outro que vem logo atrás. Dentro do carro, imagina que conseguir uma opinião isenta era tudo de que precisava para trazer de volta a normalidade.

— Parece que a chuva vai cair forte hoje, hein, amigão? — pergunta ao motorista.

Ele olha para Marcelo pelo retrovisor e dá um sorriso.

— Que bom! Adoro passageiro bem-humorado. Meu, não há a menor chance de chover hoje. Depois de deixar o senhor em casa, vou lá pro Morumbi ver o jogo do meu tricolor. O senhor torce pra qual time?

Marcelo sente um calafrio estranho e esfrega os olhos com o nó dos dedos. Responde num sussurro:

— Aqui em São Paulo torço para todos. Nasci em Recife. Lá sou Santa Cruz.

— O senhor está sentindo alguma coisa? — pergunta o motorista, notando o nervosismo do passageiro.

— Não é nada, não. Só cansaço mesmo.

— Entendi. Santa Cruz, né? — retoma o assunto o motorista, animado. — Sabia que o uniforme do Santa Cruz é igualzinho ao do meu São Paulo? Somos todos tricolores!

— É mesmo? — comenta Marcelo, mais preocupado em olhar para o estranho mundo que passa pela janela do carro, um mundo onde as árvores, roupas, pessoas, carros... tudo parece perder lentamente as cores. E aquele cara ainda vinha falar em "somos todos tricolores"...

O motorista percebe o desinteresse do passageiro, mas dá de ombros e continua falando alegremente sobre o time do São Paulo até chegarem à porta da casa de Marcelo.

Na manhã seguinte, Marcelo senta à mesa para tomar café da manhã com a mulher.

— Nossa, amor. O que houve? Você está pálido.

— Não é nada, não. Só cansaço mesmo...

— Como assim, Marcelo? Você está completamente apagado!

— Apagado como? — pergunta ele, intrigado.

— Sei lá... Apagado, pálido. Está sentido o quê, amor?

— Nada, Ana. Preciso só de um banho.

— Você não vai tomar café primeiro?

— Mudei de ideia.

Ana vai atrás e fica parada no corredor, preocupada, olhando o marido entrar no banheiro. Marcelo liga a torneira e vai correndo para debaixo do chuveiro, na esperança de que a água leve embora aquele cinza-escuro que lhe rouba lentamente as cores da vida. Mas, quando sai do banho e vai para a janela do quarto, tem a estranha sensação de que seus olhos se rebelaram e deixaram de obedecer aos comandos do cérebro, pois lá fora o mundo continua cada vez mais opaco, como se alguém regulasse seu brilho e suas cores com um controle remoto.

— Não sei... Acho que estou com algum problema na vista.

— Sério? Em qual olho? — pergunta Ana, preocupada.

— Os dois.

— Os dois? Pode ser estresse, amor.

— Não, não é estresse — afirma ele sem muita certeza. — Por que você acha que é estresse?

— Por vários motivos. Você passa muito tempo no computador criando projetos. Isso quando não fica horas testando os smartphones que cria. Isso deve ser muito desgastante para os olhos.

— Claro que não, Ana. Eu amo meu trabalho. Fiz quarenta anos, esqueceu? Acho que deve ser mesmo só um problema de vista cansada ou coisa parecida.

A mulher suspira e fica um bom tempo olhando atentamente para o marido.

— Quarenta anos hoje em dia não é nada, meu amor. Você parece que tem trinta. Nunca fumou, se cuida, pode até ser que você esteja com um problema de visão, mas não creio que seja miopia, vista cansada ou qualquer outra coisa.

— Você cismou com esse papo de estresse, né, Ana? Fica lendo essas bobagens na internet.

— Eu não cismei com nada, Marcelo. Só acho que já passou da hora de você tirar aquelas férias, viu? Vamos para Viena, Roma, Paris...Você vai voltar outra pessoa.

Marcelo não consegue se animar muito com a proposta e o sorriso lindo da mulher. E isso o deixa ainda mais intrigado.

— Pode ser. Vamos ver o que o oftalmologista diz — ele disfarça.

— Nunca vi oculista tratar desse tipo de problema.

— Que tipo de problema, Ana? Você nem sabe o que eu tenho.

— Você não é uma TV para de repente perder as cores, Marcelo. Isso só pode ter um fundo emocional. — Ana muda para um tom mais carinhoso e suplicante. — Amor, você sempre foi uma pessoa pra cima, alegre e brincalhona. Agora parece... parece mais uma vela acesa sob o sol.

— Vela acesa sob o sol? O que você quer dizer com isso?

— É só uma metáfora. Você sabe muito bem.

— Acho que sei cada vez menos.

— Você é um gênio e exige muito de si mesmo. Pensa com carinho sobre o que te falei sobre as férias.

Marcelo pensa em responder, mas sua voz não sai. Leva as duas mãos ao rosto e respira fundo. Olha para Ana de modo estranho. Como poderia dizer para a mulher que de repente até ela parecia desbotada, descolorida, descorada?

Ele levanta rápido e vai até a porta. Ana vai atrás.

— Que foi, Marcelo? Que olhar foi esse? Bem, me liga, viu? Hoje vou trabalhar de casa — diz a mulher, ajeitando a gravata do marido antes de lhe dar um carinhoso beijo de despedida.

O oftalmologista é um homem baixo, com cerca de sessenta anos. Um sujeito simpático e competente, que vive com o consultório lotado. Recebe Marcelo com um abraço afetuoso — afinal, ele é mais que um paciente, é um amigo de longa data — e examina atentamente seus olhos. Faz todos os exames possíveis.

— E aí, Fraga? O que eu tenho?

O médico abre um sorriso animador.

— Marcelo, você não tem problema nenhum de visão, meu amigo. Seus olhos são de piloto de caça.

— Impossível! — Marcelo fecha a cara.

— Sério, Marcelo. Nunca vi um paciente ficar irritado com uma boa notícia! — diz o dr. Fraga com simpatia.

Num acesso de raiva e desespero, Marcelo puxa o médico pelo jaleco, raivoso. Tem o dobro do tamanho do pobre homem.

— Tá de sacanagem com a minha cara, Fraga?

O médico arregala os olhos, completamente surpreso com a atitude do amigo.

— Calma, Marcelo. O que aconteceu com você?

— Porra, Fraga! Entro aqui dizendo que as cores do mundo estão sumindo pra mim e você vem me dizer que não tenho nada na vista? Que porra é essa?

Marcelo larga o homem e leva as mãos ao rosto, desesperado.

— Calma, Marcelo. Cuido dos seus olhos há vinte anos. Seu problema não é de visão.

— Então acho que o seu problema de visão é pior que o meu, Fraga.

— Calma. Vou te indicar um amigo psiqui...

— Psiquiatra? Não fode, Fraga!

Marcelo sai do consultório, passando feito um foguete pela recepção lotada de pacientes perplexos com o homem que transborda fúria.

Já no escritório, Marcelo olha para os diversos protótipos de smartphones. As telas coloridas dos aparelhos parecem cada vez mais opacas. Reage da mesma maneira de sempre: passando as mãos sobre os olhos como se isso fosse regular o tom certo das cores do mundo. Kátia percebe que o amigo está bem pior do que na véspera.

— O que houve, Marcelo? Você está mais pálido que ontem. Eu te falei. Se você aparecesse aqui com cara de bunda de novo, eu ia tomar providências.

— Que providências, Kátia? As cores fugiram de mim!

— Você procurou um oftalmologista?

— Fui no Fraga. E o idiota me disse que não é problema de visão.

— Idiota? O Fraga é seu oculista e nosso amigo há séculos!

— E daí? Acho que ele deve estar ultrapassado. O cretino ainda disse que eu tenho olhos de piloto de caça. Saí de lá pior do que entrei.

— Amigo, pelo amor de Deus! Teimoso você sempre foi, mas burro, nunca! É claro que você está com outro tipo de problema. Lembra daquela psiquiatra que curou a minha síndrome do pânico?

— Lembro. E daí? — retruca Marcelo, grosseiro.

— Ih! Vai no banheiro lavar o rosto, vai! Vê se melhora essa cara! — Kátia praticamente carrega Marcelo até o banheiro masculino.

Quando sai de lá, Marcelo é recebido como se fosse seu aniversário. Seus colegas, com Kátia à frente, aplaudem com entusiasmo. A amiga é a primeira a abraçá-lo.

— O que está acontecendo, Kátia? Meu aniversário já passou — diz ele, sem entender nada.

— Tenho muito orgulho de você, meu amigo! O seu projeto para o smartphone TIE7 acaba de ser escolhido pelos nossos queridos chefinhos da matriz como novo top de linha da marca.

— Sério? Bacana.

Todos caem na gargalhada.

— Como é modesto o nosso gênio, né, pessoal? — diz Kátia, orgulhosa.

O restante da equipe vem cumprimentar Marcelo, enchendo-o de elogios. O homenageado abraça a todos pacientemente, mas sem nenhum entusiasmo. Quando percebe que todos do escritório estão entretidos com os comes e bebes, finge que vai ao banheiro, sai de fininho e pega o elevador. Mal bota o pé na rua e dá um encontrão num homem.

— Porra!!! — Ele suspira e diz sem olhar para o outro. — Quer dizer, desculpe...

— Marcelo? — diz o homem, surpreso.

Marcelo olha para ele. Não tinha percebido que o homem era seu primo, Pinheiro, um ex-empresário que declarara falência. Pinheiro nem deixa Marcelo falar.

— Rapaz! Há quanto tempo! Como você está?

— Indo...

— Porra! Que desânimo! Mas hoje não tem desculpa. Lembra do que combinamos da última vez? Você deu sua palavra. Vai beber um uísque comigo!

— Não posso, Pinheiro. Eu...

Antes que Marcelo possa replicar, Pinheiro faz um sinal e um carro luxuoso com um motorista uniformizado para diante deles, e Marcelo é praticamente empurrado para dentro.

— Hoje você não tem desculpa! E o esbarrão que você me deu tá doendo pra cacete! Preciso de uma dose — diz Pinheiro em tom de ironia.

— Não estou me sentindo bem, Pinheiro. Ainda mais para...

— Deixa disso, rapaz! — interrompe novamente Pinheiro. — Lembra do que o Vinicius de Moraes disse? "O uísque é o cachorro engarrafado." Primo, com duas doses você nem vai lembrar mais dos seus problemas!

— Mas, Pinheiro...

— Relaxa, Marcelo. Qual é o problema? Trabalho ou mulher?

Marcelo apenas suspira. Pinheiro não desanima.

— Nenhum dos dois? Então é dinheiro! Se for, pode relaxar que hoje é tudo por minha conta.

Marcelo olha fixamente para o primo, que não tira o sorriso do rosto.

— Sem querer ser grosseiro, Pinheiro, mas você não tinha falido?

— Falido? Eu? Nunca! Imagina só! Ouviu isso, Gomes?

Gomes, o motorista, dá um sorriso e balança a cabeça negativamente.

— Porra, Marcelo! Quebrei mas abri uma financeira. Rapaz, nada dá mais lucro no Brasil que emprestar dinheiro. E olha que cobro juros menores que muitos bancos por aí, viu?

— Virou agiota, Pinheiro?

— Assim você me ofende, primo! Sou um empresário sério!

Marcelo sente vontade de pular do carro em movimento, mas não encontra forças para tanto. Na verdade, bem ou mal, aquela loucura acelerada do primo faz com que ele de fato esqueça por alguns instantes do desbotamento do mundo. Quando se dá conta, já está dentro de uma famosa termas de São Paulo, na companhia de seu verborrágico primo Pinheiro; mulheres dançando, música alta e copos de uísque com energéticos por toda parte.

Já é madrugada, Marcelo chega em casa completamente bêbado, carregado por Pinheiro. Ana abre a porta e leva um susto. Pinheiro explica que encontrou o primo na rua muito desanimado e o convidou para beber num bar. Passaram um pouco do limite e coisa e tal. O homem se despede de Ana após largar o primo debaixo do chuveiro frio. A mulher senta na beira da cama e fica de cara fechada, esperando o marido sair do banho. Mas não aguenta esperar nem cinco minutos.

— Sai logo desse banho, Marcelo. Você está completamente diferente.

— Eu? Por quê, amor? — responde ele com voz pastosa.

— Por quê? Acha que sou cega? Que não estou vendo o que está acontecendo com você? Ou você procura um médico amanhã ou vou ligar para uma ambulância agora!

— Agora? Agora eu quero dormir.

— Agora, sim! Para ver se te internam logo de uma vez.

— Tá bom, Ana. Eu vou.

— Acho bom mesmo. Ou você acha que não estou sentindo o cheiro de puta de longe? Aposto que o mau caráter do teu primo te levou pra putaria!

Marcelo não responde. Ana entra no banheiro e vê o marido dormindo no chuveiro. Liga a água fria e o marido dá um salto.

— Porra, Ana!

— Vem logo pra cama, Marcelo, antes que eu te deixe aqui. Você está irreconhecível. E pra piorar ainda voltou a andar com esse seu primo falido e trambiqueiro.

— Ele não faliu, amor. Ele...

— Nem quero saber! Eu vi a cara de cínico dele quando te trouxe. É um escroto!

Marcelo nem ouve mais as palavras de Ana. Vai cambaleando e desaba em cima da cama, dormindo em segundos. Ana deita ao seu lado e fica um bom tempo olhando para ele.

Na manhã seguinte, Marcelo acorda muito pior. Xinga Pinheiro ao se olhar no espelho.

— Uísque é o cachorro engarrafado, né? Pinheiro filho da puta...

Arruma-se rapidamente e, mesmo de ressaca, vai para a sala com passos decididos. Quando abre a janela, grita em desespero.

— Ana! Ana!

— Calma, meu amor! O que foi?

— Agora sumiu tudo! Sumiu tudo! Todas as cores foram embora! Sumiu tudo, Ana! — Ele vai até a janela. — Que cor você vê no céu?

Ana hesita. Como dizer que vê um céu azul de doer os olhos?

— Azulzinho... — sussurra.

— Eu vejo cinza! Cinza como a fumaça de uma fábrica! Como as árvores, como você, Ana! Perdi até o verde dos seus olhos.

— Calma, amor! Vou chamar uma ambulância!

— Não! Fica aqui comigo!

— Mas, amor, você não pode ficar assim! Você está vendo tudo cinza?

— Não... não é bem cinza, não! É algo como... como um sépia fosco, sabe?

— Como um sépia fosco, Marcelo? Até pra passar mal você tem que ser brilhante?

— Sei lá. Só sei que piorou muito!

Ana fica mais nervosa que o marido. Ela dá um calmante para Marcelo, que engole, relutante.

— Já sei! Vou chamar o dr. Silvio!

— Que dr. Silvio, Ana? — Marcelo já se sente meio lerdo por causa do remédio.

— O dr. Silvio Fernandes, o médico que mora aqui na cobertura.

Marcelo assente com a cabeça, levanta e fica andando, cambaleante, de um lado para o outro, esfregando a vista a cada instante, buscando cores e foco como um obstinado. Ana se arruma rápido, abre a porta do apartamento e ainda tenta acalmar o marido.

— Calma, Marcelo. Interfonei e ninguém atendeu. Mas o porteiro disse que o dr. Silvio está em casa. Senta aí e se acalma!

Ana volta em menos de dez minutos. Entra em casa às pressas acompanhada do dr. Silvio, um médico ainda bastante jovem. Os dois param bruscamente diante do assombro. Marcelo está caído no chão, nu e com apenas uma gravata amarrada ao pescoço. Quando vê a mulher e o médico, grita em desespero, totalmente fora de si:

— Porra! Sou um inútil! Nem nó de forca eu consigo dar nessa merda de gravata! E ainda é cinza! Cinza como o mundo à minha volta! — Marcelo soca o chão com violência enquanto a mulher e o médico continuam petrificados.

— Mas a gravata é azul — murmura o jovem médico para Ana, que parece não escutá-lo.

Marcelo começa a chorar copiosamente. Um choro tão patético e desprovido de vergonha que só podia mesmo ser um pranto autêntico. Verdadeiro como um último e desesperado pedido de socorro.

Mentes jogadoras

Vera e Luiz Paulo chegam felizes ao saguão do aeroporto Tom Jobim. Eles retornam de uma viagem a Las Vegas. Vera está exultante. Sua euforia aumenta quando vê Carol e Otávio, o casal de amigos que foi recebê-los. Abraçam-se e Vera repete sem parar:

— É zero! É zero!

O casal de amigos troca olhares e sorri, mesmo sem nada entender.

— É zero! É zero — repete Vera, eufórica.

— Zero? Que alegria é essa, amiga?

— Para com isso, Vera — interrompe Luiz Paulo. — Conta logo.

Vera pega o celular e mostra na tela uma foto de uma roleta parada no número zero. Mostra também, agora em vídeo, o painel luminoso que revela os resultados de cada rodada da enorme roleta. O vídeo não deixa dúvidas sobre o prêmio: um milhão de dólares com o número um e os seus nove zeros piscando e o som da sirene da vitória ao fundo.

— Ganhei um milhão de dólares em Las Vegas apostando no zero! É zero! É zero! — volta a repetir, abraçando os dois amigos.

Carol e Otávio ficam espantados e eufóricos ao mesmo tempo.

— Jura? Não acredito! Que maravilha! — diz Carol. — Um milhão de dólares? Que incrível!

— Que beleza, Paulinho! Então temos que comemorar, né? — Otávio abraça o amigo. — Não é toda hora que alguém ganha um milhão de dólares num cassino! Temos que comemorar. E com champanhe!

Pouco tempo depois, os casais estão num restaurante bebendo e conversando animadamente.

— Olha, tenho certeza de que o Luiz Paulo e eu nascemos com aquilo virado pra lua! — comenta Vera.

— Calma, querida! Ainda vamos ganhar muito mais. — O marido levanta a taça e propõe um brinde. — Ao nosso sucesso!

Os dois casais brindam pela quinta vez na noite. Vera continua com seu discurso da vitória:

— Mas eu acho que tem gente que nasce mesmo com mais sorte que outras. Assim é a vida. Nem todo mundo nasceu para brilhar.

— Olha, não quero ser estraga-prazer, mas não acredito em sorte em jogo — comenta Otávio. — Até concordo com você que tem gente que nasce com mais sorte na vida. Mas não no jogo. Ninguém ganha sempre. Não é à toa que chamam essas coisas de jogos de azar.

— Deixa de ser chato, Otávio — retruca Carol. — É por isso que você nunca ganha nada. Fica com esses pensamentos negativos.

— Não é isso. Tô falando desses jogos em que as pessoas apostam muito. Loteria deixa um cara rico apostando pouco. Mas cassino, bingo? Sei lá. Acho que as pessoas acabam tendo uma impressão positiva sobre esse tipo de jogo porque gostam só de contar as vitórias. Já as derrotas...

— Relaxa, Otávio — interrompe Luiz Paulo. — A Vera e eu desenvolvemos um método ganhador. Jogamos entre sessenta e cem minutos por dia.

— Mas existe algum modelo matemático para isso? Eu não conheço.

— Nós pesquisamos, Otávio. Fizemos uma baita pesquisa — explica um sorridente Luiz Paulo. — O método é baseado na probabilidade. Se nos primeiros trinta minutos começarmos ganhando, continuamos por mais setenta. Se começarmos perdendo, paramos ao completar uma hora. É claro que, sem nossa sorte, essa estratégia não adiantaria nada.

— Como eu disse, é um jogo de azar, né? E duvido muito que alguém que joga sempre consiga ficar só uma hora num cassino de Las Vegas — pondera Otávio, pouco convencido.

— Deixa de ser ressentido, Otávio! — reclama Carol. — Eles ganharam um milhão de dólares! Não é o que importa?

— Otávio, querido, a gente também era como você — diz Vera, compreensiva. — Mas aquele som da sirene da vitória tocando e as luzes piscando em volta do um milhão de dólares... Isso nunca mais vou esquecer.

Otávio suspira, paciente, e bebe um gole de champanhe.

— Tudo bem, pessoal. Só acho tudo muito aleatório. Matemática é a grande paixão da minha vida. Como matemático, até hoje não vi nenhuma fórmula infalível que ajude apostadores em cassinos. Se funcionasse, não haveria mais esse tipo de estabelecimento. Todos quebrariam. Ainda mais em tempos de internet, onde a informação voa. Desculpem meu ceticismo, mas os cassinos fazem apenas alguns poucos clientes milionários enquanto os seus donos invariavelmente não param de acumular bilhões.

— Esse é o nosso velho amigo Otávio — comenta Luiz Paulo sem perder o bom humor. — Nosso grande gênio da matemática!

Todos riem e Otávio é o único a ficar pensativo. Já do lado de fora do restaurante, antes de Luiz Paulo entrar no carro, Otávio puxa o amigo pelo braço.

— Cuidado, Paulinho. Cuidado pra não devolver tudo pra banca — cochicha.

— Relaxa, Otávio! Eu sei me controlar. E a Vera também. Ela só está muito empolgada hoje. Você não ficaria com um milhão de dólares na sua conta?

São seis horas da manhã quando Luiz Paulo olha ofegante e aliviado para Vera. Estão encostados num carro estacionado em frente a uma pequena igreja. Do outro lado da rua, policiais retiram várias máquinas de um bingo clandestino. Luiz Paulo sua muito, nervoso. Tira os óculos e passa as mãos sobre a cabeça praticamente sem cabelos, embora tenha apenas quarenta e cinco anos. Vera tem quarenta anos e é morena, com um corpo tipicamente brasileiro. Os cabelos são negros e o rosto ovalado, com olhos castanho-escuros rasgados e um sorriso radiante.

Ela abre a bolsa e leva um calmante à boca com as mãos trêmulas. Os dois não despertam suspeitas porque misturam-se aos fiéis que chegam às dezenas para o culto. Quando a cerimônia acaba, saem da igreja olhando para os lados e entram no carro.

— Que merda, amor. Esse era o último. E olha que não tem nem um mês que voltamos de Vegas — diz Luiz Paulo, ainda suando.

— Não te falei? Jogo no Brasil é crime quando não é controlado pelo governo — lamenta Vera, colocando um cigarro na boca, mas sem acendê-lo.

— Saudade de Las Vegas... — suspira Luiz Paulo com ar sonhador. — Aquilo que é cidade. Lembra que encontrei aquele juiz, o Sérvulo, num caça-níquel?

— Claro que lembro. Ele disse com aquele ar arrogante insuportável: "Aqui pode".

— Hipócrita.

— Todos são. Se os brasileiros conhecessem os bastidores do Judiciário...

— Deixa pra lá, amor. Vamos encontrar outro lugar para investirmos nosso dinheiro. Somos os mais sortudos de todos os cassinos e bingos do mundo.

— Isso. Vou ligar pro Fagundes. Aposto que ele conhece vários lugares pra gente se divertir com liberdade.

Dias depois, Vera e Luiz Paulo estão acompanhados de outro homem num grande salão, nublado de fumaça de cigarro. Máquinas e mais máquinas de bingo e caça-níquel não param um minuto de trabalhar. Garçonetes simpáticas servem petiscos, espumantes e energéticos de graça para todos os apostadores.

— Que lugar incrível, Fagundes — elogia Luiz Paulo. — Um minicassino de Las Vegas.

— Não te disse? O dono é sócio de um coronel da polícia, você sabe como é — gaba-se Fagundes.

— Gente! É incrível mesmo. Olhem! Tem até roleta — comenta Vera e vai direto na direção dela.

Fagundes sorri feliz por ter conseguido agradar os amigos.

— Boa sorte, Vera! — diz, antes de ser atacado por uma tosse seca.

— Fique tranquilo que ela está sempre comigo — retruca a mulher, confiante.

Fagundes, um tipo muito magro e pálido, acende um cigarro atrás do outro.

— Tem de tudo aqui. — Ele dá mais um trago profundo. — E você sabe que a segurança é cem por cento garantida, Paulinho.

— Vai com calma, Fagundes — recomenda Luiz Paulo. — Mas foi mesmo genial o cara construir um cassino no porão de uma igreja evangélica.

— O homem pensou em tudo. — E, com isso, Fagundes vai para uma máquina de bingo entre uma tosse e outra.

Luiz Paulo acompanha o homem com o olhar e resolve espiar a mulher na roleta. Vera já domina a cena com sua confiança e simpatia. Pouco depois, o casal dá um grito de vitória. Vera ganhou de novo apostando no zero. Dessa vez foram cinquenta mil reais.

Fagundes abandona a máquina de bingo e aproxima-se do casal com um copo na mão. Alguns jogadores por perto não conseguem esconder a inveja enquanto queimam cigarros inteiros com tragos demorados.

Horas depois, Luiz Paulo e Vera saem do lugar ao lado de um exultante Fagundes. Entre uma tosse e outra, o homem consegue dizer:

— Viram só? Aqui é o melhor lugar do mundo.

Luiz Paulo olha pela primeira vez para o amigo sob as primeiras luzes da manhã.

— Vai com calma, Fagundes. Diminua o cigarro. Essa sua tosse está preocupante, amigo.

— Relaxa, Paulinho. Daqui a pouco passa. — Fagundes despede-se e vai como um morto-vivo em direção ao carro.

Luiz Paulo acompanha o amigo com um olhar preocupado, mas Vera puxa seu braço.

— Vamos pra casa comemorar, amor! Ganhei no zero de novo! Você conhece alguém cujo número da sorte é o zero?

Dois meses depois de ganharem cinquenta mil na roleta do cassino clandestino, o casal está em casa, na cama. Olhando bem para os dois, parecem uns dez anos mais velhos desde que voltaram de Las Vegas. Luiz Paulo está com uma barba grande e com mais fios grisalhos do que negros. Está com o rosto bolachudo, inchado pelo álcool, talvez uns dez quilos mais gordo. Enquanto Vera perde todo o ar jovial que a maquiagem lhe proporciona quando a remove no fim da noite. E agora, como se estivesse em outro universo, folheia atentamente um livro com um título bastante sugestivo: *Os reis dos cassinos*. Luiz Paulo está visivelmente irritado, inquieto, limpando uma sujeira imaginária dos óculos.

— Porra, Vera. Já perdemos trezentos e cinquenta mil reais naquele maldito cassino. O Otávio tinha toda a razão. Estamos devolvendo tudo que ganhamos em Las Vegas pra banca.

Vera não responde. Parece estar totalmente concentrada no livro sobre cassinos.

— Ouviu, Vera? — Arranca o livro das mãos da mulher. — Larga essa merda! Escutou o que eu falei?

— Ih, calma, Luiz Paulo! Eu, hein! Que grosseria! Me dá o livro aqui.

— Só se você prestar atenção. Já perdemos trezentos e cinquenta mil naquele cassino do Fagundes. Escutou? Trezentos e cinquenta mil reais!

— Já ouvi, Luiz Paulo. E daí? Estamos no lucro. Se fossem trezentos e cinquenta mil dólares, tudo bem...

— Você está louca? O Otávio tem razão, viu? A banca sempre ganha no final.

— Lá vem você com esse papo de Otávio, Otávio... Quando a gente tava ganhando você nem lembrava da existência dele, né?

— Tô mesmo em falta com o meu amigo. — Luiz Paulo diminui o tom de voz. — Você tem falado com a Carol?

— Às vezes, pelo telefone.

— O Otávio, quando saímos do restaurante naquele dia, me disse uma frase que começa a fazer sentido.

— Que frase, Luiz Paulo? Que frase? — pergunta a mulher de mau humor.

— Os cassinos fazem só alguns poucos clientes milionários enquanto os seus donos invariavelmente não param de acumular bilhões.

— Já sei! Temos que trocar de cassino! O Fagundes é o maior pé-frio de todos os tempos, Luiz Paulo! Naquele dia em que eu ganhei no zero, você estava ao meu lado enquanto ele perdia nas máquinas de bingo. Lembra?

— Ok, Vera. O Fagundes é um pé-frio do cacete. Mas o Otávio, não. O Otávio não joga e sempre deu sorte na vida. Inclusive com as mulheres.

Vera aproxima-se do marido cheia de malícia. Enfia as mãos por baixo das cobertas. Luiz Paulo hesita.

— Ah, é? E você não teve sorte por ter se casado comigo, amor?

Luiz Paulo resiste por pouco tempo. Vera abre um sorriso maldoso enquanto enfia a cabeça por debaixo do lençol que cobre o marido.

No dia seguinte, Luiz Paulo entra no escritório e faz um gesto com a cabeça, chamando Fagundes para a sala dele. O homem entra e fecha a porta atrás de si.

— E aí, Paulinho? Hoje nós vamos à forra e quebrar aquela banca?

— Acho que tá na hora da gente parar, Fagundes.

— Parar? Tá maluco, Paulinho? Eu perdi quase tudo naquele cassino. Até meu carro eu tive que vender.

— Perdeu seu carro?! — Luiz Paulo levanta da cadeira e começa a limpar nervosamente a sujeira imaginária dos óculos. — Porra, Fagundes! Você está pior que a Vera! Para enquanto é tempo!

— Está querendo dizer que a culpa é minha?

— Quero dizer que nem todo mundo nasce com sorte no jogo, Fagundes. Você só perde.

— Não acredito no que estou ouvindo. Eu apresento o melhor cassino do Rio pra vocês e recebo isso em troca?

— Você só perde, Fagundes. Conta aí de alguma vez em que você saiu de lá com mais dinheiro do que entrou. — Luiz Paulo percebe a hesitação do outro homem e continua. — Pois é, nenhuma. Você é azarado, Fagundes.

— Mas que filho da puta! Está me chamando de pé-frio?

— Bom, sorte você não tem, né?

— Pé-frio porra nenhuma! Você é um ingrato!

— Olha como fala comigo, Fagundes! Sou seu chefe aqui.

— Ah, é? Vai querer usar seu poderzinho nesta empresa pra me demitir?

— Fala baixo, caralho! E saia da minha sala. Nossa conversa acabou.

Para surpresa de Luiz Paulo, o homem muda o tom, ajoelha-se e implora com lágrimas instantâneas e abundantes:

— Pelo amor de Deus, Paulinho! Não me deixa na mão agora, por favor! Estou quebrado. Até pra agiota estou devendo! Me ajuda, pelo amor de Deus!

Luiz Paulo fica perplexo por um tempo. Aquela figura pálida, famélica e fantasmagórica aos seus pés embaralhou ainda mais sua cabeça. Esfrega com tanta força as lentes dos óculos que uma delas voa pela sala.

— Porra, Fagundes! — Ele vai atrás da lente. — Para de chorar e levanta desse chão! Se alguém entrar aqui vai pensar que eu sou um tirano.

— É sério, Paulinho! — insiste o homem ainda de joelhos, como se não tivesse escutado suas palavras. — Peguei cem mil com um agiota que o Coronel me indicou. Tenho que voltar lá no cassino para ganhar e pagar! O cara é barra-pesada.

— Caralho, Fagundes. Agiota? Que merda você fez! Dever pra bandido! Tá louco?

Fagundes começa a chorar ainda mais alto, tendo espasmos. Luiz Paulo tranca a porta da sala. Aquela visão da decadência é como uma bofetada e um calmante para ele. Respira fundo e fica um tempo pensativo.

— Tá bom, Fagundes... Tá bom... Para de chorar e levanta desse chão. Posso te emprestar esse dinheiro se prometer que vai parar de ir naquela porra de cassino. Comigo e com a Vera você não entra mais lá.

— Sério? — Fagundes dá um salto e abraça Luiz Paulo. — Obrigado, Paulinho! Obrigado! Olha, você não vai se arrepender. — Ele dá um beijo no rosto de Luiz Paulo, que sente certo repúdio, mas o sentimento de piedade prevalece.

Uma semana depois, Luiz Paulo ainda está abalado com o desespero de Fagundes. Generoso, deu quinze dias de licença para o homem resolver seus problemas financeiros. Ele afrouxa o nó da gravata, vai até o barzinho localizado em um dos cantos da sala de casa e serve uma dose de uísque, que não dura nem cinco segundos no copo. Suspira e fica olhando para o nada. Serve outra dose, mas para antes de virá-la.

Escuta algo parecido com um choro vindo do quarto. Abre a porta e encontra Vera aos prantos, com o rosto enfiado no travesseiro.

— O que aconteceu, amor?

A mulher levanta a cabeça, mas não responde e continua a chorar.

— Amor, não fica assim. Olha, andei pensando aqui. Podemos ir pra Las Vegas se você quiser. Lá podemos jogar à vontade — diz Luiz Paulo na tentativa de animá-la.

A mulher parece não ouvi-lo. Continua a chorar. Por fim, Luiz Paulo vira o copo de uísque.

— O que foi agora, Vera? — Seu tom se torna impaciente.

— Aconteceu uma tragédia, amor.

— Tragédia? Que tipo de tragédia?

— Uma tragédia horrível, amor. Mas juro que foi sem querer.

— O que aconteceu, Vera? Fala logo, porra!

— Deixa de ser grosso. Não está vendo que estou sofrendo?

— Tá bom, Vera. Desculpe. Mas me conta o que aconteceu — pede Luiz Paulo, baixando o tom de voz.

— Perdi... perdi duzentos mil dólares no cassino. — A mulher volta a chorar.

— O quê? Você perdeu duzentos mil dólares no cassino? E que cassino foi esse? O do Fagundes? Foi ao cassino com aquele maluco sem mim?

— Não, não foi nada disso, amor. Perdi num cassino virtual que o Fagundes me indicou antes de ele ir pra Las Vegas.

— Como assim? Você apostou nesses cassinos da internet? Por indicação do pé-frio do Fagundes?

— Não, amor! Como o Fagundes é pé-frio, pesquisei na internet e encontrei outro, bem melhor, maravilhoso mesmo! E comecei ganhando muito, tá? Só que aí apostei tudo no zero...

— E perdeu, né? Não tô acreditando, Vera! Ficou maluca? Apostar num cassino virtual? Indicado pelo... Porra! — De repente cai a ficha. Leva as mãos ao rosto. — Fagundes, seu filho da puta!

— Isso mesmo! — Sem entender, Vera aproveita a deixa. — Finalmente você fica do meu lado, Luiz Paulo! A culpa é toda do Fagundes, amor!

— Não é nada disso, Vera! Não tem nada a ver com você! Dei quinze dias de licença e ainda emprestei dinheiro para aquele infeliz pagar um agiota. Em vez disso, o desgraçado pegou a grana e fugiu pra Las Vegas!

— Como assim, Luiz Paulo? Não tô entendendo nada.

— Quando você falou com o Fagundes? — pergunta Luiz Paulo, começando a suar em excesso. — E como você sabe que aquele puto foi pra Las Vegas?

— Mandei uma mensagem pra ele pedindo uma dica de um cassino virtual. Aí ele me respondeu e contou que estava indo pra Las Vegas.

— Mas que grande filho da puta!

— Concordo, amor! Fiquei surpresa.

— Surpreso estou eu, Vera! Você inventa de jogar num cassino virtual sem falar comigo e ainda perde duzentos mil dólares!

— Para, amor! Não fala isso!

— Você sabe que não admito traição, Vera! E essa foi demais! — O homem começa a suar cada vez mais.

Luiz Paulo sai do quarto e Vera vai atrás.

— Para, Luiz Paulo! — pede ela, desesperada. — Eu te explico tudo! A gente vai recuperar!

Luiz Paulo pega a chave do carro e sai de casa, indiferente às súplicas da mulher.

Luiz Paulo e Otávio estão sentados numa mesa de bar. Luiz Paulo, muito nervoso, conta ao amigo as últimas novidades.

— Paulinho, você tem um grande coração, cara — diz Otávio. — Mas nunca empreste dinheiro para um viciado. O Fagundes é um caso terminal, infelizmente.

— Porra, Otávio! O que você queria que eu fizesse? O cara ficou de joelhos e começou a chorar na minha frente.

— Imagino, mas no desespero um viciado é capaz de encarnar um Marlon Brando só pra conseguir o que quer.

— Tem razão. Como fui cair nessa?

— Esquece isso, Paulinho. Deixa o infeliz do Fagundes pra lá. A Vera precisa muito mais de você agora.

— Eu sei, meu amigo, eu sei...

— Acho que o problema é mais sério do que você está querendo ver, Paulinho. Andei lendo estatísticas sobre viciados em jogo. A maioria acha que tem mais sorte que os meros mortais.

— Não é possível, Otávio. A Vera não pode ser viciada.

— A gente sempre quer acreditar no melhor, Paulinho. Te entendo. Mas há outro dado estatístico perigoso. A maior parte das pessoas que ganha uma grande quantia acha que pode ganhar de novo. Aí fica tentando, tentando...

— Mas a Vera... Putz! O que eu faço?

— Por isso eu te disse: cuidado para não devolver tudo pra banca. E é exatamente isso o que acontece com a maioria. Se eu fosse você, buscava ajuda médica, psicológica...

Luiz Paulo fica em silêncio dessa vez. Vendo o abatimento do amigo, Otávio pede para o garçom mais uma rodada. Cerca de uma hora depois, os amigos se despedem antes de Luiz Paulo entrar num táxi.

— Paulinho, vá com calma. Conte comigo e com a Carol para o que der e vier, viu?

Luiz Paulo sorri, mas não diz nada. No caminho para casa, religa o celular. Após ver várias ligações e mensagens de Vera, leva um susto com uma de seu banco:

"Prezado cliente, sua conta corrente está quarenta mil reais negativa além do limite do cheque especial. Regularize sua situação com urgência."

Luiz Paulo chega em casa e abre a porta silenciosamente. Vera está com um tablet nas mãos, alheia a tudo que acontece à sua volta. O homem se aproxima e fica de frente para a mulher, que leva um susto.

— Não acredito que você está de novo apostando num cassino virtual, Vera! — Luiz Paulo pega o celular e mostra para Vera a mensagem do banco.

Vera não altera as feições.

— Isso aí deve ser spam, amor. Liga não. E, além disso, estou ganhando todas!

— Ganhando todas? Você está bêbada, Vera!

— Estou ganhando sim! E no zero! É zero, amor! É zero!

Só então Luiz Paulo percebe que a mulher está pálida e com olheiras profundas. Vê três garrafas de espumante abertas sobre a mesa de centro. Não espera nem mais um segundo e arranca o tablet das mãos de Vera.

— Agora você vai me ouvir. Olha aqui a porra da nossa conta no banco.

— Pra quê, amor?

— Olha aqui! Olha! — berra Luiz Paulo, cada vez mais nervoso e suado.

Vera olha a tela do celular e abre um sorriso triunfante, para surpresa do marido.

— Ótimo. Qual é o problema, amor?

Luiz Paulo fica perplexo e cada vez mais descontrolado.

— Puta que pariu! Você tá cega, Vera? A nossa conta está negativa em quarenta mil reais.

— Cega? — diz Vera. — É zero, amor! É zero!

Luiz Paulo fica paralisado. Para ter certeza das suas suspeitas, mostra novamente para a esposa o extrato na tela do celular.

— Me diz, Vera. Me diz que porra você está vendo aqui!

— Viu? Aparece até na tela do seu celular! — Ela pega o tablet e mostra para o marido. — Estou ganhando um milhão de dólares cada vez que aposto no zero! Olha só as luzes piscando e a sirene da vitória tocando, igualzinho a Las Vegas! Tá vendo? É zero! É zero!

Com a ajuda de Otávio e Carol, Luiz Paulo consegue no dia seguinte levar Vera a uma clínica de recuperação. Depois de agradecer aos amigos pela força, senta-se numa cadeira no quarto da mulher e, distraído, pega seu tablet e navega na internet por um bom tempo. Até que dá um pulo da cadeira ao ver uma notícia. A foto de um homem muito parecido com Fagundes e a seguinte manchete: "Brasileiro morre engasgado com canapé em cassino em Las Vegas".

Sai depressa para não incomodar a mulher. Quando chega ao corredor, tira os óculos para ler de perto. A foto e o texto confirmam. Era mesmo o Fagundes. Perplexo, Luiz Paulo leva as mãos ao rosto e fala para si mesmo, enquanto lê o restante da notícia:

— Fagundes, seu pé-frio filho da puta!

Enquanto isso, no quarto de Vera, a enfermeira recolhe uma bandeja. A mulher nem percebe. Continua a olhar fixamente para a televisão e vê aquela imagem da roleta parando no zero. O um milhão de dólares piscando... a sirene da vitória tocando ao fundo... Vera sorri de forma espontânea e suave. A enfermeira olha para a televisão e não entende como um comercial de xampu pode fazer alguém tão feliz. Dá de ombros e sai do quarto. Vera, sozinha, não se contém e grita:

— É zero! É zero! — repete. E, dessa vez, sorri sem nenhuma cerimônia.

Mentes sexualizadas

César e Luciana formam um belo e bem-sucedido casal. Ele tem quarenta anos, alto, magro e esguio. Nunca tira os óculos de aro vermelho. Trabalha com importação de produtos eletrônicos. Luciana, trinta e oito anos, é uma morena de lábios grossos e rubros, alta e naturalmente simples e elegante. Ganhou prestígio profissional e a fama de melhor decoradora de festas do Rio. O casal leva uma vida confortável e vive em um belo apartamento no Alto Leblon.

Entretanto, fora do trabalho e das rodas sociais, o casal mantém hábitos nada convencionais, por assim dizer. Toda segunda-feira às nove da manhã, dia e hora em que, segundo Nelson Rodrigues, ninguém desconfia de ninguém, o casal bate o ponto na casa da amiga Heleonora Fargos — que é, na verdade, uma das mais imponentes mansões da cidade, escondida e abraçada pelas grandes árvores da Floresta da Tijuca. Ao passar pelo enorme e intimidador portão de ferro, vemos um longo jardim com flores de todas as cores, uma enorme piscina e um majestoso ipê-amarelo, afastado das demais árvores, talvez para realçar ainda mais cada detalhe de sua beleza naturalmente única.

César e Luciana já são de casa, por assim dizer, e estão acostumados ou não dão importância às belezas naturais do lugar. Além disso, não saem do Alto Leblon até ali para apreciar a natureza. Por mais bonita e bucólica que a enorme residência pareça por fora, raros são os carros que param para admirá-la. Talvez o majestoso ipê-amarelo até ganhe a atenção das crianças e dos fotógrafos da natureza, mas a grande surpresa está localizada no segundo andar da mansão. No entanto, antes de chegar lá, Luciana e César são recebidos na porta por uma mulher muito bem-vestida e simpática. A moça tem um sorriso de comercial de pasta de dentes e cabelos longos e ruivos que parecem incendiar seus ombros e costas.

— Bom dia. Tudo bem? — ela cumprimenta o casal com um sorriso.

— Bom dia. — Luciana está desconcertada, olhando de soslaio para o marido.

— Entrem, por favor. Sejam bem-vindos. Eu sou a Júlia.

— A Bárbara não está?

— A Bárbara foi para a Nova Zelândia estudar ecoturismo.

— Sério? — César parece surpreso. — Ela nunca comentou isso com a gente. Que exótico.

— Pois é, né? Mas podem ficar tranquilos. A dona Heleonora me passou tudo sobre vocês.

— Claro! Sem problemas, né, amor? — pergunta Luciana, tranquila e sorridente.

— É óbvio que não há o menor problema. Mas e aí, Júlia? Muitas novidades? — pergunta o homem, animado.

— Muitas! Venham comigo.

Os três sobem uma escada estilo *art déco*, com curvas sinuosas que só revelam as surpresas do segundo andar no último degrau. Chamar o lugar de uma sex shop premium seria uma definição simplória, sem deixar de ser exata. Há vários ambientes nos quais os produtos estão expostos com requinte e inspiração. Poucos conhecem o local. Ali são admitidos apenas casais dispostos a investir alto nos prazeres do sexo e comprometidos a manter sigilo absoluto, como se pertencessem a uma ordem secreta. Os raros clientes encontram no lugar os melhores produtos do mundo do sexo e novidades ainda nem lançadas.

Os preços não são nada populares. Mas César e Luciana nem estão pensando nisso e sim nos produtos exibidos com estilo e requinte. A varanda que dá para a floresta, por exemplo, chama logo a atenção de César. Bonecas quase humanas, vestidas cada uma com um estilo, estão sentadas, de pernas cruzadas, em cadeiras diante de mesas redondas bem decoradas com garrafas e taças de champanhe que podem ser consumidos à vontade. Todas as bonecas estão vestidas de forma sensual, ainda que sem nenhum traço de vulgaridade, como se estivessem numa festa que os clientes costumavam frequentar. César analisa algumas, impressionado. É especialmente atraído por uma ruiva com cabelos parecidos com os de Júlia.

— Dessa vez a Heleonora caprichou, hein? São incríveis! Parecem gente de verdade, ao contrário das antigas e horrorosas bonecas infláveis — comenta César, sem tirar os olhos da ruiva de vestido preto e curto com um decote ousado. — Darwin tinha razão. Tudo evolui, até as bonecas infláveis.

Júlia ri e convida Luciana a contemplar outra grande novidade.

— Olha o que chegou ontem. Um vibrador de ouro dezoito quilates. Edição limitadíssima. É feito na Inglaterra. Vem com cinco níveis de vibração e de intensidade.

— Que maravilha! — Luciana está em êxtase. — Eu vou querer.

— Deve custar zilhões, Lu — retruca César, sem desgrudar os olhos das lindas bonecas quase humanas.

— E o nosso prazer tem preço, amor? — Maldosa, Luciana faz biquinho.

— Claro que não, mas aposto que passa dos noventa mil — diz ele, olhando para Júlia.

— Na verdade, custa um pouquinho mais que isso, mas é pra sempre, né? E a Luciana vai adorar.

— É uma maravilha — diz Luciana, deslumbrada com o brilho do ouro.

César nem hesita.

— Vamos levar, sem dúvida.

— Oba! — Luciana dá um beijo no marido, excitada e feliz.

— Hoje todo mundo devia investir mais em sexo, né, querida? — continua César. Vira-se para Júlia.

— Você parece conhecer bem os produtos que vende, Júlia. É ótimo poder contar com uma especialista.

O sorriso de comercial de pasta de dentes some por um segundo.

— Faço tudo para ajudar os casais como vocês a aumentar o prazer, mas, infelizmente, meu namorado ainda está no século XIX.

— Sério? — duvida César.

— Sério. Digo que não podemos ter preconceito no sexo, mas ele ainda é um pouco travado para certas coisas. Para falar a verdade, é bem mais que um pouco. Ele é muito travado. Meu namorado nem imagina qual é o meu trabalho.

— Que coisa! — murmura Luciana, perplexa.

— Pois é... Infelizmente, tudo que posso fazer é aceitá-lo do jeito que é e aproveitar os brinquedinhos que a dona Heleonora me dá de presente.

— Mas que paradoxo interessante! — comenta Luciana. — Uma vendedora de produtos sexuais que namora um cara travado. Este mundo é mesmo cheio de contradições loucas. Vou te dizer uma coisa, Júlia: viver só tem sentido por causa do sexo.

— Ihh, baixou Freud na Lu, Júlia. Se você der corda, ela vai filosofar por horas sobre o machismo que impede o homem de ter alguns prazeres.

— Você só está comigo porque é bom de cama, meu amor. — Luciana não perde a deixa para destilar seu sarcasmo e volta a olhar para Júlia. — Querida, você tem que fazer esse seu namorado experimentar os prazeres da vida sempre sem limites. Sem essa de machismo latino que trava os caras, entendeu? O sexo tem que ser ao estilo da Roma antiga, sem preconceitos.

— Roma antiga? Como assim? — quer saber a moça, sentindo-se uma colegial.

— Xiii... Ela precisa aprender muito ainda, César. Querida, na Roma antiga não havia preconceito sexual nenhum. O sexo era natural e todo mundo comia todo mundo por puro prazer. Foi a época de ouro do hedonismo. A felicidade era sexo e prazer. Hoje, o mundo ficou careta demais.

— Concordo com a Lu, Júlia — diz César. — Às vezes, acho que estamos na Idade Média quando vejo religiosos falando que sexo é só para procriação. Qual é a melhor coisa da vida? Sexo! E os caras criam um monte de regras babacas para atrapalhar o nosso prazer.

— Bom... Eu gosto de ir ao cinema, por exemplo. Existem outros prazeres, né? — pondera Júlia.

— Claro que existem, mas quem trocaria uma noite de sexo por um filme? Cinema ou qualquer outra diversão só interessam se acabar em sexo — decreta Luciana.

— Ah! Chegou uma leva de filmes pornôs 3-D — Júlia tenta mudar de assunto. — São incríveis...

— Nem pensar! — corta César. — Esses filmes são broxantes. Você vai querer ver essas coisas, Lu?

— Lógico que não. Júlia, gravamos as nossas transas. É muito mais excitante que esses filmes de gemidos ridículos. Sem falar no cuspe. Nunca entendi por que se cospe tanto em filmes pornôs, principalmente nos brasileiros.

— Lu, por falar nisso, podemos filmar sua paleta sublingual!

— Paleta sublingual? Acho que não tenho isso aqui... — Júlia fica confusa de verdade.

— Claro que não tem. A Luciana inventou isso após anos de dedicação e pesquisas. Devia patentear — comenta César com cinismo.

— Não exagera, amor. — Luciana vira-se para a outra. — Posso te ensinar com o maior prazer. Quer ver, querida?

A ruiva olha em volta, pensativa. Sua curiosidade aumenta a cada instante.

— Hummm... Eu quero. Fiquei curiosa — responde a jovem, num arroubo de ousadia.

Luciana se aproxima dela e começa a demonstrar vários movimentos com a língua. Júlia vai travando a respiração à medida que a demonstração fica mais detalhada. César participa da encenação. O casal faz tudo sem tirar a roupa. Quando terminam, a moça está numa mistura de desejo e perplexidade.

— Duvido que o Betão aceite fazer isso algum dia — lamenta a ruiva com um suspiro que a deixa ainda mais irresistível.

— Talvez a gente te chame para experimentar, né, Lu? — César se anima.

— Por que não? Devemos sempre compartilhar o conhecimento. E o prazer, principalmente — diz Luciana com um olhar sacana.

— Claro. É dando que se recebe, não é o que dizem? — concorda o marido.

— Parece ser muito interessante... Um dia talvez eu aceite experimentar. Talvez...

Ao ver a respiração ofegante e os cabelos de fogo grudarem no pescoço suado da jovem, Luciana aproxima-se e acaricia o rosto de maçãs maduras da ruiva. César faz o mesmo. Júlia hesita por um segundo, mas logo entrega-se ao desejo quando os lábios de Luciana deslizam suavemente sobre os seus e os de César deslizam pelo seu pescoço.

Luciana está deitada na cama do casal com uma camisola preta de renda. Observa com indisfarçável alegria o vibrador de ouro que ganhou do marido. Nesse momento, César chega do trabalho acompanhado de uma linda ruiva vestida de maneira elegante.

— Boa noite, amor. Olha quem veio nos visitar.

— Chegou mais cedo hoje? — Luciana cumprimenta o marido enquanto observa a linda ruiva. — Júlia? Quase não te reconheci. Você está ainda mais linda!

A ruiva sorri com lábios e olhos rasgados e brilhantes.

— Obrigada, Luciana. E você, além de linda, está irresistível com essa camisola preta.

Luciana olha com ironia para César.

— Uau! A nossa Júlia fica bem mais à vontade fora do trabalho, hein?

Os três riem ao mesmo tempo.

— Deixa eu tomar um banho logo porque essa noite vai ser daquelas — diz César, sacana, tirando a gravata e entrando no banheiro.

Júlia reconhece o vibrador de ouro que havia vendido para o casal. Luciana nota seu interesse.

— Júlia, sente-se aqui e venha conferir essa maravilha.

— Não acredito. É o vibrador de ouro!

— O próprio, querida. Legítimo, dezoito quilates, como você mesma nos falou.

— É realmente um luxo! Já usou?

— Ainda não. Quer fazer o test-drive comigo? — convida Luciana, sacana.

Júlia abre um sorriso maravilhoso que faz Luciana estremecer. As duas começam a trocar carícias e beijos. César sai do banheiro de banho tomado e completamente nu. Quando vê aquelas belezas entrelaçadas harmoniosamente na cama, corre para o armário e pega um pequeno saco plástico. Deposita o pó branco numa bandeja e faz várias carreirinhas. Leva a bandeja para a cama, onde as deusas dão uma pausa para aceitar a oferenda. E assim César consegue seu passaporte para entrar naquela viagem de curvas sucessivas e destinos inesperados.

É claro que César e Luciana adoraram a noite inesquecível com Júlia. Mas isso não impede que, no dia seguinte, o casal continue sua busca por novos prazeres. Vão conhecer uma casa de *swing* muito bem falada. Mas nem tudo, aliás, talvez quase nada, acontece exatamente como o esperado. O sol despeja as primeiras luzes da manhã quando o casal cruza o jardim da casa em direção ao carro. Quando saem, Luciana rompe o silêncio com a pergunta óbvia:

— E aí, amor? Curtiu?

César demora um pouco a responder.

— Sinceramente, esperava mais. Pensei que um evento de Santino Terranova fosse de alto nível.

— Ué? E não foi?

— Não. A maioria dos homens trouxe putas. De luxo, mas ainda assim putas.

— Sério? Eu curti.

— Claro, né? A fila para te comer dava voltas na casa.

— Não exagera, César. Com ciúme agora?

— Não é ciúme. É uma constatação óbvia. Você, além de linda, era uma das poucas mulheres que estava com o marido, no caso, o otário aqui. Aí os caras ficam loucos. Sabem que não vão te encontrar em nenhuma lista de putas de luxo.

Luciana permanece em silêncio por um tempo. Sempre faz isso quando acha que o marido está certo. Mas, para não irritá-lo ainda mais, muda de assunto.

— Dá mais um teco, vai, amor. Você careta às vezes fica de mau humor.

César cheira o pó das mãos de Luciana em uma única fungada e continua calado, prestando atenção na rua.

Luciana sorri, maldosa. E, mesmo com o marido dirigindo, abre o zíper da calça dele e começa a praticar sexo oral. César grita um palavrão seguido de um sorriso entorpecido de prazer.

Uma semana depois, César expande sua busca pelo prazer perfeito sem a participação da mulher. Luciana não o acompanha mais, porém não vê o menor problema nisso. Pelo contrário, lhe dá a maior força. A única exigência é em relação aos cuidados básicos de saúde que o marido nunca podia esquecer. César dizia que não era burro e que tudo ficaria bem. O novo desejo de César fica na praça do Ó, na Barra da Tijuca. Um famoso ponto das travestis mais bonitas da cidade, segundo um amigo. Após passar devagar com o carro, analisando cada uma, convida uma morena de cabelos lisos, nariz fino e queijo ovalado a entrar.

— Fala a verdade. Você é uma garota de programa tirando onda de travesti aqui. — César examina a moça. — Quero uma travesti autêntica.

— Quer conferir, querido? Sou uma travesti não operada. Aviso antes para não desapontar o cliente.

— Hummm... Faz bem. Mas você é linda, menina. Qual é o seu nome?

— Bianca Hilton.

— Escolheu um nome bonito. Quero ver o resto.

— Só se for agora, amor.

César entra num motel que fica perto da praça. Já no quarto, convida Bianca para dividir com ele algumas carreiras de pó, cuidadosamente separadas com seu cartão de crédito. Depois de cheirarem muito, caem enlouquecidos na cama. Ao ver Bianca nua, César tira a prova dos nove — ou dos dezoito, se pensarmos em centímetros. O homem usa e abusa de todas as posições, inclusive aceita experimentar a inversão de papéis sugerida pela travesti.

Quando sai do motel e deixa Bianca de volta na praça, liga para Luciana. Adora contar para a mulher suas novas experiências. Só que, naquele momento, Luciana está dentro de um enorme apartamento, com um iPad nas mãos, conversando com uma cliente sobre detalhes da decoração de uma festa. Ela vê o nome de César no visor do celular. Hesita por um instante, mas a curiosidade supera o profissionalismo nessas horas.

— Vitória, querida, preciso atender a essa ligação. Vou aproveitar e ir ao toalete, ok?

— Fique à vontade, querida — responde, simpática, a dona da casa.

Dentro do banheiro, Luciana atende ansiosa e sussurra:

— Oi, amor. Como foi?

— Uma loucura, amor! — quase grita César.

— Sério? Quero detalhes. Conta tudo. Tudo mesmo.

César começa a contar os detalhes e Luciana vai ficando visivelmente alterada. Liga a torneira da pia e senta no chão do banheiro. Abre a bolsa e pega o vibrador de ouro. César continua a falar. Luciana puxa a calcinha para o lado e introduz o vibrador. Geme com uma das mãos na boca, tentando abafar o som. Com poucos movimentos chega ao orgasmo e deixa escapar um grito de prazer.

A dona da casa bate na porta e pergunta se está tudo bem. Luciana leva um susto e desliga o telefone. Dá uma arrumada rápida na roupa e no cabelo e sai do banheiro toda alegre.

Após deixar a casa da cliente, Luciana passa na sua loja predileta de roupas que fica logo na esquina. Sorri, surpresa, ao encontrar Júlia, a ruiva deslumbrante, experimentando roupas num dos provadores. Após o susto inicial e uns beijos às escondidas numa das cabines, saem sorridentes da loja com algumas sacolas nas mãos. Luciana convida a ruiva para jantar em sua casa. Júlia faz um charme, mas aceita.

Quando as duas já estão na sala conversando animadamente e degustando um Brunello di Montalcino da inesquecível safra de 2010, César chega do trabalho. Exala uma tristeza profunda. Nervoso, ainda na garagem, coloca um pouco de cocaína nas mãos e dá uma fungada profunda. Depois, abre a porta da casa e vai até onde estão as mulheres. Ao ver o marido, Luciana levanta-se para beijá-lo, toda feliz.

— Opa! Cheguei na hora certa, hein? — diz César, esfregando o nariz.

— Olha quem está aqui, amor!

— Júlia! Que surpresa boa!

A ruiva sorri e levanta a taça de vinho.

— César, senta aqui com a gente pra contar sua última aventura pra Júlia.

Ele bebe um grande gole de vinho e começa a contar a história do seu encontro com a travesti. Durante o animado relato, Júlia acaricia suavemente as pernas de Luciana.

César então começa a filosofar:

— É sério, meninas. Acho que a impossibilidade de esconder o pau faz a travesti não operada ser mais intensa na cama que aquelas que entram na faca. Cada transa é um ato de desespero, porque pode ser a última vez.

— Viu, Júlia? A travesti fez o que eu não consegui: transformar o César num filósofo — comenta Luciana, sarcástica.

— Tô vendo. Foi tão bom assim, César? — Júlia não desperdiça a bola levantada por Luciana.

— Não vou cair na pilha de vocês, meninas. Foi interessante, mas foi a primeira e última vez.

— Tem certeza disso, amor? Eu e a Júlia achamos você muito empolgadinho.

— Não enche, Lu. Agora que já matei a curiosidade de vocês, vou tomar um banho.

As duas mulheres trocam olhares sacanas.

— Sobrou alguma coisa aí pra gente, amor? — Luciana sobe um pouco o vestido.

— Depois do banho eu mostro pra vocês — diz César, excitado pela promessa daquela dupla de prazeres infinitos.

— Só quero ver... — Júlia fala com voz pastosa.

César olha fixamente para as duas e tenta dar o troco.

— Só espero que, quando eu sair do banho, vocês ainda estejam acordadas.

— Lembre-se de que no vinho está a verdade, amor — diz Luciana.

— E no Brunello estão até as verdades que ainda não foram ditas — completa Júlia.

César finge que não ouve e vai para o quarto. Antes de entrar no banho, olha para ver se a mulher o seguiu. Pega o copo d'água sobre a cabeceira e toma um comprimido de Viagra e outro de ecstasy, antes de entrar no chuveiro.

Na manhã seguinte, César é o primeiro a levantar. Copos e garrafas estão espalhados pela sala, além das duas mulheres nuas dormindo abraçadas sobre o tapete. Quando César sai do banho, seu coração dispara. Sua frio. Vai até a gaveta e toma dois calmantes. Após passar um tempo sentado na cama, sente-se melhor.

Olha para o relógio e percebe que o tempo voou.

— Porra! Meio-dia! Vou ter que inventar mais uma historinha para os meus sócios. Meu estoque de desculpas está acabando — diz para si mesmo, enquanto olha para o número de ligações perdidas do trabalho.

Sai voando do quarto. Quando passa pela sala, as duas mulheres ainda estão dormindo abraçadas no tapete.

César chega ao escritório no horário do almoço e encontra apenas sua secretária.

— Dr. César! O que houve? O senhor está pálido!

— Ah, Celeste... O gato da Luciana morreu.

— De novo? — E não está debochando. — Então essa história de que os gatos têm sete vidas é mesmo verdade.

— Deixa de ser burra, Celeste! — o tom de voz de César é mais confuso do que grosso. — Foi o outro gato... O Picasso... O de que ela gostava mais.

— Poxa, coitadinho! — lamenta-se Celeste. — A dona Luciana deve estar arrasada.

— Nem me fale. Tive que levar o bicho até um cemitério de animais, por isso só cheguei agora.

— Que tristeza... Ah! A reunião com aquele cliente chinês foi adiada.

— Porra! Por quê? Só faltava assinar o contrato! Cadê o Ferreira e o Augusto? Meus sócios são uns irresponsáveis!

— Esqueceu que eles estão viajando a negócios e o senhor que ficou de receber o chinês?

— O quê? Que é isso, Celeste?

— É sério, dr. César. Eu controlo a sua agenda e o senhor sabe que sou organizada.

César fica um tempo sem ação, mas não perde a pose.

— Tá bom, Celeste! Tá bom... Vou para minha sala, qualquer coisa me avise.

— Pode deixar, dr. César.

César entra na sala e liga o notebook, que abre direto num site de sacanagens. A expressão de satisfação volta ao seu rosto. Enquanto assiste, começa a se masturbar por baixo da mesa. Fica tão alucinado com as imagens de sexo que sobe em cima da mesa quando vai gozar. E é nesse exato momento que a porta de sua sala se abre e aparece uma mulher de uns trinta anos, com um aspirador de pó na mão. A mulher leva um susto e César também. Mesmo assim, ele continua a curtir o orgasmo em cima da mesa. A mulher acompanha cada jato de esperma como uma estátua de olhos arregalados e boca aberta.

César termina, respira fundo e vai na direção da porta.

— Vai me dizer que nunca viu um homem se masturbando, Solange?

A faxineira continua congelada. Só desperta quando Celeste também entra na sala. Ao ver a secretária, o homem diz, irônico:

— Celeste, derramei iogurte no tapete e pedi para a Solange passar um pano molhado. Vou tomar um café. Fiquem à vontade.

— Iogurte? — Celeste se vira para Solange. — Então pra que esse aspirador, menina? Vai logo buscar o pano molhado. Anda!

Solange sai rápido da sala, ainda com os olhos arregalados. Quinze minutos depois, a sala já está vazia e limpa. César entra e vai logo abrindo o computador. Começa a ver os e-mails tranquilamente até ficar intrigado com um deles.

— Calma, César — diz para si mesmo. — Só pode ser spam ou alguma sacanagem de alguém aqui de dentro.

Entretanto, fica pálido e solta um palavrão quando abre o vídeo enviado em anexo. Com boa qualidade de resolução, César assiste a ele e Bianca, a travesti da praça do Ó, fazendo sexo no motel. A imagem é perfeita. Mostra tudo. Além do sexo, as carreiras que os dois cheiraram juntos e até a cena da inversão de papéis. No fim do vídeo, aparece uma pessoa com boné, máscara e óculos escuros, num fundo neutro. Sua voz é distorcida, um trabalho totalmente profissional.

— Gostou do filminho, dr. César? — diz a pessoa mascarada. — Imagina isso em toda a internet? Seus colegas de trabalho e amigos vão adorar, tenho certeza. Mas fica calmo, doutor. Se você atender às minha exigências, talvez isso fique só entre nós. Ah! E nem pense em avisar a polícia. Você sabe que basta um clique para que eu destrua sua vida. Espere meu contato sem fazer nenhuma besteira.

O vídeo acaba, a tela fica preta e César, pálido. Cinco minutos depois, sai da sala e passa voando por Celeste, que tenta, em vão, se comunicar com ele.

Cerca de quarenta minutos depois, César está no motel da praça do Ó quase agredindo o gerente.

— Você sabia que existem câmeras filmando a intimidade das pessoas no seu motel? Que merda é essa? Aposto que você se masturba vendo essa merda!

— Isso não é possível... — sussurra o gerente, um homem de baixa estatura e que está completamente confuso.

— Como não? Me filmaram fazendo sexo com um traveco e agora estão me chantageando!

— Calma! Prometo que vou resolver isso para o senhor.

César puxa o homem pela camisa e ameaça socá-lo.

— É? E como você vai fazer isso? Conhece esses travecos da praça? Pois então é bom achar essa tal de Bianca Hilton agora mesmo.

— Po-pode deixar, dr. César — gagueja o baixinho, apavorado. — Vou falar com o segurança do hotel. O Carlão conhece todo mundo.

— É mesmo? E cadê ele?

— Foi fazer um lanche e já volta.

Cinco minutos depois, o segurança entra na recepção. É um homem gordo e alto, que deve ter sido muito forte no passado. O tipo usa várias correntes de prata e óculos escuros. O gerente respira aliviado e conta toda a história. O segurança ouve sem se alterar e em seguida vira-se para César.

— A Bianca Hilton? Ela é uma ótima menina. Duvido que esteja chantageando o senhor.

— Eu não duvido de nada neste mundo, meu amigo.

— Posso te levar até ela. Mas aconselho que senhor pegue leve. Essas meninas são protegidas por muita gente, se é que o senhor me entende.

— Está me ameaçando?

— Não estou ameaçando ninguém. Só mandando a real pro senhor.

— Ok... Tudo bem. Como posso encontrá-la?

— Um minutinho só.

O segurança se afasta um pouco e faz uma ligação.

— Está resolvido, doutor. Saindo daqui, à direita, em frente a um prédio em construção. Ela vai estar lá.

César não perde tempo e vai até lá. Encontra Bianca, que entra no carro, toda sorridente acreditando na fidelidade de clientes.

— Oi, meu amor. Sabia que você ia voltar.

— Meu amor é o caralho! Eu quero saber quem é o seu comparsa que filmou a gente naquele dia.

— Filmou? Comparsa? Tá louco, meu bem? Sei de nada disso, não.

César passa meia hora interrogando a travesti. Logo percebe que ela não tem nada a ver com o chantagista. Caso contrário, merece um Oscar de melhor atriz. A travesti começa a chorar compulsivamente. César destrava a porta do carro.

— Vai logo! Some da minha frente.

Bianca desce do carro e vai chorando ao encontro das colegas de ponto. César fica sozinho no carro, imóvel, sem saber o que fazer. Seu celular toca.

— Alô.

— Boa noite, dr. César — diz o chantagista com a mesma voz metálica e distorcida.

— É você, seu vigarista filho da puta! Diz logo quanto você quer!

— Calma. Pode ficar calminho aí. Eu não quero a tua grana.

— Então diz logo o que você quer.

— Tá putinho? Ficar nervoso não vai te servir de nada. Respire fundo, dr. César.

— Fala, porra. — César abaixa o tom de voz.

— O que eu quero é muito simples. Eu vi como você trata as meninas da praça.

— Como assim? Eu só saí com uma delas, que foi muito bem paga, por sinal.

— Mesmo? Então por que a Bianca acaba de sair chorando do seu carro?

César leva um susto e olha em todas as direções, procurando o chantagista. Não vê nada.

— Não adianta me procurar porque você nunca vai me encontrar. Não me subestime, dr. César.

— Então fala logo o que você quer.

— O que eu quero é muito simples. Quero que você se vista como as meninas da praça e fique amanhã a noite toda fazendo ponto ao lado delas.

— Tá maluco? Tá de sacanagem com a minha cara?

— Ué? Eu sei que o senhor adora aventuras sexuais. É mais uma experiência para o seu currículo. Não te dá mais tesão viver perigosamente?

— Eu me recuso! Sem chance!

— Então amanhã o pessoal do seu escritório e toda a internet verão o que você gosta de fazer na calada da noite.

— Espera, porra! Pede grana, pó, qualquer merda, menos isso.

— Dr. César, já disse o que eu quero. O senhor vai fazer ponto com as meninas amanhã às nove. Não se atrase. — O homem desliga.

César soca o volante várias vezes, em desespero.

Nada é tão ruim que não possa piorar. Às vezes, um clichê é a melhor descrição possível para um fato. Como o que aconteceu com César quando chegou em casa. O homem entra no banheiro e dá de cara com um bilhete pendurado no espelho:

> *César, querido, eu e Júlia resolvemos fazer uma viagem pelo mundo em busca de novas aventuras. Sei que não é um momento bom pra você viajar. Além disso, a Júlia achou melhor viajar só comigo. Acho que estou mesmo apaixonada por ela.*

Fica bem.
Com carinho,
Lu.

César, em desespero, quebra o espelho do banheiro. Rasga o bilhete impresso. "Nem escrever com a própria letra a filha da puta teve coragem", pensa. E no momento em que ele mais precisa da mulher descobre que Luciana ama mais Júlia do que ele. Cheira e bebe uísque a noite inteira. Passa o outro dia inteiro em casa, cheirando cada vez que lembra do que precisa fazer. Hesita, dá socos nas paredes da casa e xinga sem parar a esposa por não estar ao lado dele naquele momento de desespero.

Às nove em ponto, resignado, César está maquiado, de peruca loira e vestido sensual preto, no ponto da praça do Ó. Alguns carros param ao lado dele, mas logo se afastam. César estava longe de parecer uma mulher ou mesmo uma travesti digna, por assim dizer. Seu celular toca.

— Ora, como você está bonita, "dra." César — elogia, irônica, a voz distorcida do outro lado da linha.

— Seu filho da puta! Quanto tempo eu vou ter que ficar aqui?

— Calma. A noite é uma criança, querido.

— Quando eu te encontrar, vou te matar, seu chantagista filho da puta!

— Não sofra com isso. Você nunca mais vai me encontrar. Não sofra, querido.

— Como assim, nunca mais? Eu sabia que te conhecia, seu...

O chantagista desliga. César olha em volta, desesperado. Jamais poderia imaginar que, do outro lado da praça, Júlia está dentro de um carro, desligando o celular.

— Desculpe, meu querido, mas eu prefiro as mulheres. — Júlia olha sem nenhum rancor para César. Faz uma ligação pelo viva-voz do carro. — Lu? Já peguei minhas coisas. Daqui a pouco passo aí no hotel pra te buscar.

— Estou pronta. Mas você fez o que te pedi? Deixou o bilhete que eu te dei avisando para o César que a gente volta na semana que vem?

— Claro, meu amor. Fiz tudo exatamente como você pediu. Fique tranquila que o César vai entender.

— Mesmo assim, eu não aguentaria ver a carinha dele ao saber que vai ficar uma semana sem mim. Até desliguei o celular que uso para falar com ele... Se eu escutar a voz do César, desisto.

— Relaxa, Lu. É uma semaninha só. Ele sabe se divertir sozinho, lembra?

Júlia desliga, olha para César vestido de travesti e dá um sorriso vitorioso antes de arrancar com o carro. Enquanto isso, na praça, outras travestis se aproximam de César, inclusive Bianca Hilton. Ele cobre rapidamente o rosto com um lenço.

— Querida, você não pode ficar neste ponto aqui sem falar com o Homem — informa uma das travestis.

— Homem? Que homem? — pergunta César, tentando afinar a voz.

Antes que a travesti pudesse responder, uma SUV preta para ao lado deles. Dois brutamontes saem lá de dentro e pegam César pelo braço, levando-o para dentro do veículo com vidros pretos.

As outras travestis se afastam, assustadas. Dentro do carro, César é espancado pelos homens. Apanha muito. Desmaia. Quando acorda, está completamente nu e com os pés e as mãos amarrados. Olha em volta e vê os dois brutamontes se aproximando, com as cabeças cobertas com máscaras pretas.

— Por que vocês estão fazendo isso? — diz num fio de voz.

— Tá com medinho? Calma que a brincadeira ainda não acabou — informa um dos homens. César é violentado pelos homens, que ainda fazem piadas durante o ato covarde. Desmaia novamente.

Já é manhã quando é deixado, com a roupa de travesti, no mesmo local da praça do Ó. Quando acorda, vê olhares de reprovação e outros de pena no rosto das pessoas que estão na feira que acontece no local. Desesperado, faz sinal para um táxi, que não para. Em pânico, entra no motel que fica próximo e pede ajuda ao gerente baixinho, que demora a reconhecê-lo.

— Dr. César? O senhor virou travesti? Não acredito!

César, em estado de choque, abraça o gerente como se fosse seu único amigo e chora copiosamente. Carlão, o segurança do motel, vê a cena a distância. Pega o celular e tira uma foto da cena.

No aeroporto, Júlia recebe uma foto no celular. César vestido de travesti abraçado ao gerente. Embaixo, um texto anuncia:

"Dona Júlia, serviço completo. Segue a minha conta para depósito. Carlão."

Júlia sorri enquanto Luciana dorme ao seu lado, esperando o voo para o Caribe.

Em casa, César vê centenas de mensagens dos sócios no computador. Vê também que o chantagista não cumpriu a parte dele e espalhou o vídeo na internet, que já tinha mais de cinquenta milhões de visualizações no YouTube. Na calada da noite, ele sai de casa levando apenas uma mochila com pertences pessoais. Com uma expressão distorcida e um olhar que demonstra claramente que a razão pouco a pouco se despede de si, pega o carro e vai até a casa na Floresta da Tijuca, onde fica a espantosa sex shop.

Dessa vez, não entra pela porta da frente. Escala o muro e entra pela varanda dos fundos. Com uma lanterna nas mãos, ilumina as bonecas sentadas na varanda. Abre uma grande sacola e sequestra quatro das bonecas quase humanas que estão sentadas às mesas. Antes de sair, ainda pega uma garrafa de champanhe.

Dias depois, César está de barba, escondido no sótão de uma casa abandonada no subúrbio do Rio de Janeiro. Só sai na rua de boné e óculos escuros e apenas para comprar o básico.

As quatro bonecas quase humanas agora estão vestidas apenas de calcinha e sutiã, sentadas num velho sofá vermelho largado no canto do sótão. César pega cinco taças de champanhe e abre a garrafa de Dom Perignon, esfregando as mãos. Coloca uma taça nas mãos de cada boneca.

— Meninas, um brinde ao nosso amor! A Dionísio, Afrodite e ao deus Baco!

Bebe sua taça num só gole. Pega o celular com um sorriso estranho, mas feliz. Aperta um botão e pergunta:

— Meninas, vocês amam o César?

As quatro bonecas respondem ao mesmo tempo:

— Nós amamos o César! Nós amamos o César!

César beija cada uma delas com tesão, mas sua preferida é a ruiva. Cada vez que faz sexo com ela, grita um nome na hora do orgasmo: Júlia.

Mentes paranoides

— Ouviu isso, Tobias? — Alceu corre para o olho mágico da porta da sala. — Sabia que o ataque estava para começar.

— Ouvi perfeitamente — responde Tobias, sentado no sofá. — Chegou a hora de você descobrir quem são os mandantes, Alceu. Os líderes.

— Eu sei disso. Mas eles são muito espertos, Tobias. Toda vez que eu fico vigiando, desaparecem sorrateiramente.

Alceu corre para o computador e passa as mãos pelo rosto.

— Será que eles sabem que também estamos de olho neles com as nossas câmeras?

— O que importa é que estamos preparados.

— Preparados nada, Tobias! — exclama. — Eles são muito poderosos. E sabem de tudo. De tudo!

— Tudo o quê?

— Ahhh! Não te contei, né? Posso confiar em você?

— Claro que pode, Alceu. Você sabe que pode.

Alceu olha para o homem no sofá, desconfiado. Analisa tudo que há em volta.

— Ok, ok... Vou confiar em você. Numa manhã, quando eu tinha vinte anos, estava olhando para o espelho do banheiro e descobri tudo.

— Tudo o quê, Alceu?

— Eles achavam que eu não ia descobrir. — Ele começa a andar de um lado para o outro.

— Tudo o quê, Alceu? Fala!

— Que eu tinha um chip poderoso implantado na minha cabeça. A partir daquele dia, descobri que é só apertar o chip para ter resposta para tudo que acontece lá fora. No mundo inteiro. Não há segredos que eu não possa desvendar com meu chip.

— Que espertos! Mas você é mais, Alceu. Então é por isso. Você é o único homem do mundo que sabe de tudo.

— Exatamente. A coisa é muito maior do que você pensava, né?

— Me conta tudo, Alceu. Estamos do mesmo lado.

— Como eu ia dizendo, eles descobriram, não sei como, que eu tenho o chip e sei de tudo. Sei o motivo de todas as guerras no Iraque; dos atentados de Onze de Setembro; do atentado de Londres; dos desaparecimentos de aviões na Ásia e todos os segredos do Estado Islâmico, do Afeganistão... Sei de tudo, meu caro Tobias. De tudo! Conheço os segredos mais obscuros dos chineses. Sei até dos segredos da misteriosa Área 51 dos Estados Unidos. Está tudo aqui, no chip implantado na minha cabeça.

— Então temos que nos preparar. Eles virão com tudo, Alceu. Vão querer esse chip de qualquer maneira.

— Exatamente, meu amigo. Mas não vamos nos render facilmente. Por que você acha que eu instalei esse supercomputador? E todas as câmeras nas rendondezas?

— Muito bom, Alceu. Você é um gênio.

Como faz todos os dias, Juarez, um homem de sessenta e oito anos que há trinta e cinco é porteiro daquele velho edifício no centro do

Rio de Janeiro, recebe o rapaz que chega de bicicleta e entrega um embrulho com duas embalagens de quentinhas. Uma, Juarez coloca na sua mesa de trabalho na entrada da portaria. Já a outra, o obriga a subir dois andares de escada e deixar na porta de Alceu, filho de dona Lucinda, uma antiga moradora falecida havia dois anos. Juarez tinha uma profunda estima pela senhora. Tanto que prometeu, pouco antes de dona Lucinda morrer, ajudar Alceu como pudesse. E uma das maneiras de ajudar era esta: todos os dias, com uma paciência espartana, toca a campainha do apartamento de Alceu, deixa a quentinha no chão e vai embora mais que depressa. Sabe que Alceu fica no olho mágico esperando ele ir embora. Enfim, o velho e cordial Juarez já tinha visto de tudo naquele edifício, por isso dava de ombros para as loucuras humanas. Depois que o porteiro sai, Alceu pega a quentinha e deixa o dinheiro num pequeno envelope que mais tarde é recolhido pelo próprio Juarez.

Essa é apenas mais uma das muitas rotinas daquele velho edifício com vinte apartamentos por andar que guarda toques arquitetônicos do início do século XX. Se a arquitetura é mesmo música congelada, como disse Schopenhauer, a daquele edifício cinzento plangente é o ápice da melancolia, como uma música dor de cotovelo de Lupicínio Rodrigues. Mas Juarez e os muitos moradores do lugar, talvez por já estarem acostumados ao cenário digno de *Edifício Master*, o conhecido documentário do diretor Eduardo Coutinho, não são afetados por sua aparência decadente. Principalmente Alceu, um tipo esquisito, longilíneo e de quarenta e cinco anos, que jamais tira os óculos de armação preta com lentes garrafais, e que há muito tempo não saía de casa. Pode-se dizer que Alceu tinha visões bem peculiares do mundo. Passa grande parte do dia na janela com um binóculo, observando os transeuntes, principalmente aqueles vestidos ou que usem qualquer acessório preto. Dedica também algumas horas ao olho mágico, em especial quando escuta qualquer ruído no corredor. Por fim, ainda tem um terceiro ponto de observação:

seu supercomputador dotado de um imenso monitor, de onde controla e acompanha as câmeras instaladas no edifício e nas ruas ali por perto.

A sofisticada máquina é o único traço do século XXI daquele apartamento. A finada dona Lucinda, quando percebeu que sua doença podia ser grave, vendeu a grossa aliança de ouro do seu casamento que durara trinta anos com o já falecido Abelardo e comprou o computador mais potente e caro que encontrou. Viveu para ver a alegria do filho, que dizia que ela havia salvado a sua vida. Mas apesar de Alceu, segundo o próprio, possuir uma autêntica fortaleza digital para protegê-lo, sentia que algo de muito grave aproximava-se.

— Maldição, Tobias! Eles estão usando todos os recursos possíveis — retruca Alceu na janela com o binóculo nas mãos.

— Vamos usar os nossos também!

— Olha lá! Está vendo? São dois helicópteros. Um está ali perto do Cais do Porto e outro parou em cima do aeroporto Santos Dumont. — Agitado, Alceu fecha a janela do apartamento.

— Você não pode deixar que eles peguem o chip, Alceu. Não pode!

— Eu sei disso. Por isso preciso pensar. Preciso pensar, Tobias!

— Mas e as nossas câmeras?

— Enlouqueceu? Elas não conseguem acompanhar helicópteros.

Alceu não consegue se acalmar.

— Já sei, Tobias! Vou anotar todos os movimentos deles!

— No computador?

— Não. Não sei se posso confiar apenas no computador num momento crítico como esse. — Ele pega um quadro-negro e começa a anotar o horário dos barulhos no corredor, a hora da passagem dos helicópteros, os barulhos do elevador etc. Anota também a frequência com que pessoas usando roupa escura ou qualquer acessório preto passam diante das câmeras em frente ao edifício. Faz outro gráfico só com as pessoas que vê através do binóculo. Logo, um complexo esquema está desenhado no quadro.

— Pronto! O que acha, Tobias?

— Perfeito! Perfeito! Eles vão ver o que é bom.

A campainha toca e Alceu vê Juarez pelo olho mágico. Quando o porteiro vai embora, abre a porta e pega a quentinha do jantar.

— Estou sem fome, Tobias. Pode comer você.

— Também estou sem apetite. Não descuide da porta, Alceu.

Ao ouvir a palavra *porta*, Alceu corre para o olho mágico. Escuta sons estranhos vindos do corredor.

— Está ouvindo, Tobias? Além da explosões, há crianças chorando lá fora. Ou será um truque para que a gente saia daqui? Malditos covardes!

— Eles não vão desistir, se precisarem matar crianças, não vão hesitar.

— Malditos!

Alceu coloca as mãos na cabeça, preocupado. Aproveita para conferir se o chip está no mesmo lugar de sempre. Nem sente o tempo passar. Tobias observa tudo atentamente, em silêncio. Enquanto isso, Alceu passa horas e horas alternando seus postos no computador, no olho mágico e na janela com o binóculo.

— Prepare-se, Tobias — diz Alceu ao ver um grande número de pessoas vestidas de preto andando nas ruas. Ele fecha a janela e as cortinas. — Começou o ataque, Tobias. Prepare-se!

— Estou a postos, Alceu. Confio em você!

Alceu volta ao quadro-negro e faz mais anotações. E nada de notar o passar do tempo. No entanto, Juarez chega com a quentinha e nota que, assim como no dia anterior, Alceu não havia recolhido a daquele dia. Franze a testa e resolve tocar a campainha e esperar dessa vez.

Alceu olha pelo olho mágico e logo se retrai.

— Agora tudo faz sentido, Tobias — ele sussurra. — Eu sabia! Eu sabia! Eu sabia!

— Sabia o quê, Alceu?

— Juarez é o líder dos nossos inimigos. Maldição! E pensar que... Não... Como fui burro! — ele dá socos na própria cabeça.

— Sempre desconfiei desse sujeito. Faz todo o sentido — reforça Tobias.

Enquanto isso, Juarez, vendo que Alceu não abre a porta, recolhe as quentinhas e vai embora, preocupado. Senta na sua cadeira na portaria e olha com expressão preocupada para a rua molhada pela chuva perene.

No dia seguinte, após chegar até a porta de Alceu, deixa a quentinha, toca a campainha, mas dessa vez fica escondido, para ver se Alceu recolhe a comida. Vendo que nada acontece, pensa no pior e resolve chamar os bombeiros e a polícia. Quando esses aparecem, Juarez explica a situação, diz que Alceu estava havia meses sem sair de casa e que ele já tinha feito de tudo, mas o morador se recusava a abrir a porta. Os bombeiros e policiais ouvem atentamente e vão com o porteiro até a porta do apartamento de Alceu. Tocam a campainha e batem na porta, mas sem sucesso. Um policial fala alto:

— É a polícia. Se o senhor não abrir a porta, seremos obrigados a usar a força.

Nenhuma resposta. Alceu vê pelo olho mágico o exército inimigo pronto para invadir seu esconderijo.

— Chegaram, Tobias. E vão tentar arrombar a porta! Me ajude a fazer uma barricada. Rápido!

Alceu arrasta a estante da sala e a encosta na porta. Corre para o computador e começa a digitar, desesperado. Depois de apertar a última tecla, dá um sorriso vitorioso e olha para o amigo.

— Consegui, Tobias! Consegui! Acabei de enviar uma cópia com tudo que há dentro do meu chip para todos os veículos de comunicação do mundo. *The New York Times*, *Le Monde* e até a CNN. Minha missão está cumprida, Tobias. Mas não vamos nos entregar sem lutar.

— É assim que se fala, Alceu! A guerra ainda não acabou. Eu confio em você!

Do lado de fora, os policiais e os bombeiros decidem arrombar a porta. Paramédicos chegam trazendo uma maca.

— Malditos! — xinga Alceu. — Vou mandar tudo pelos ares se ousarem invadir meu território.

— Coragem, homem! Coragem! — incentiva Tobias.

Os bombeiros conseguem arrombar a porta e passam com facilidade por cima dos móveis colocados como barricada. Alceu pega o quadro-negro e parte para cima deles.

— Malditos! Eu já venci! Eu já venci! O mundo inteiro vai saber os segredos de vocês.

— Segurem ele! — grita um dos bombeiros.

— Deixem comigo! — diz um policial corpulento, que dá uma gravata em Alceu. Juarez assiste à cena com preocupação.

— Tobias! Faça alguma coisa! — grita Alceu. — Tobias! Socorro!

Os bombeiros e os policiais olham para o sofá vermelho e não veem ninguém.

— Tobias! Me ajude! Tobias! Seu covarde! — insiste Alceu, olhando para o sofá.

Os profissionais trocam olhares confusos. Abrem espaço para os paramédicos, que vestem uma camisa de força em Alceu e dão uma injeção para tentar acalmá-lo.

— Seus malditos! Eu já venci! O mundo inteiro agora sabe o segredo de vocês. — A voz de Alceu perde a força pouco a pouco com o efeito da injeção.

Deitam o homem numa maca e avançam pelo corredor, onde vários vizinhos abrem as portas dos seus apartamentos, espantados com a cena. E o mais curioso é que em todas as residências havia uma TV ligada, o que causava uma confusão de sons e luzes que piscavam e criavam ecos no corredor.

Num dos apartamentos, havia um televisor ligado onde era exibido um filme em que uma criança chorava alto. Num outro, um filme com muitas explosões e nos demais, vários outros sons da rotina caótica do edifício.

Juarez acompanha a saída dos agentes públicos. Quando volta para o corredor, percebe que todos os vizinhos já haviam fechado suas portas, arrefecendo um pouco aquela orquestra desafinada e barulhenta. Intrigado, resolve dar uma espiada no apartamento de Alceu. Empurra a porta com certo receio. Acende a luz e leva um susto. Na tela do grande monitor, Juarez vê as imagens dos atentados de Onze de Setembro, da Guerra do Iraque e outros acontecimentos mundiais, tudo narrado com a voz de Alceu. O homem fica paralisado vendo algumas coisas que nem sabia que haviam ocorrido. No fim do vídeo, aparece Alceu olhando pelo binóculo enquanto diz para a câmera:

— Vocês acham que essas imagens mostram toda a verdade? Vocês não sabem de nada! Mas eu sei! Eu sei de tudo! Eu sei de tudo!

Mentes hiperativas

Eduarda é tão bonita e brilhante que chega perto de ser uma unanimidade. Entretanto, apesar de receber inúmeros convites para atuar como atriz, modelo e garota-propaganda de várias empresas de cosméticos, a belíssima morena de trinta e cinco anos e um metro e setenta escolheu o universo on-line para cumprir seu papel social na vida, por assim dizer. Eduarda assumiu a diretoria de criação da empresa que o marido, Ricardo, herdara do pai.

O casal se conheceu na faculdade, mas o casamento só aconteceu seis meses depois de Eduarda entrar para a DDMX3 e transformá-la em uma das melhores e mais rentáveis empresas de computação do mundo. Muitos dizem, inclusive, que a DDMX3 já ameaça as gigantes do mercado com seus aplicativos revolucionários e computadores cada vez mais velozes e eficazes. Com sua personalidade agitada, criativa e competente, Eduarda simplesmente revolucionou a empresa.

Se o amor precisa de admiração mútua para sobreviver, aquela era uma prova cabal para confirmar a tese. Ricardo foi abduzido por aquela mulher que só podia ser de outro planeta, como costumava dizer para os amigos. Além de bela e cheia de energia, nunca vira alguém com tanto tesão pela vida e pelo trabalho.

Ah, o tempo! Desde a Antiguidade tentamos entendê-lo. Chronos, Kairós, Aión foram alguns dos diferentes nomes utilizados pela mitologia, a filosofia clássica, a teologia e também pela física para compreendê-lo. Hoje, com um mundo cada vez mais acelerado, parece só existir o Chronos, que deu origem à palavra *cronômetro*. *Grosso modo*, Chronos é o tempo que sentimos passar, que contamos com nossos relógios e calendários, aquele do qual se diz que "ninguém consegue escapar", o tempo que, sem disfarces nem piedade, nos obriga a encarar a finitude. E era justamente a maneira de perceber o tempo a grande diferença entre Ricardo e Eduarda.

Após cinco anos de lua de mel, o cenário mudou para o casal. A DDMX3 continuava atropelando velhas ideias e concorrentes, mas por fim chegou o dia em que todo esse sucesso cobraria o seu preço. Ricardo passou a andar taciturno pelos corredores da empresa, o que provocava comentários precipitados entre os funcionários.

A cara amarrada do chefe, apesar de todo o seu sucesso, era o assunto mais discutido na hora do cafezinho.

O que ninguém sabia era o motivo do tormento de Ricardo. O homem chegara a uma conclusão definitiva: Eduarda era uma *workaholic* nata. De início, ele achava natural a empolgação da mulher com o trabalho e com a empresa pela qual seu pai tinha tanto apreço. "Mas para tudo há um limite", pensava Ricardo. A verdade é que sua admiração colossal por Eduarda arrefecia. Segundo os amigos mais próximos, o homem até demorou para enxergar o óbvio. Embora seja sempre mais fácil para quem está de fora opinar, a forma intensa com que Eduarda se dedicava ao trabalho, muitas vezes indo madrugada adentro, ficou evidente por demais. Quando questionada pelos colegas mais próximos, Eduarda dizia que, quando alguém ama o que faz, não se preocupa com o tempo convencional. E, quando não queria ser interrompida, cortava o assunto citando a Teoria da Relatividade de Einstein. Só Ricardo não aceitava os argumentos de Eduarda. Para ele, o tempo passava impávido e indiferente para o que fazemos ou deixamos de fazer. E, naquela manhã de sexta-feira, sozinho em sua sala, começou a pensar numa maneira de tirar Eduarda daquela rotina insana.

Na verdade, Ricardo nunca foi apaixonado pela empresa. Longe disso. Tinha uma visão pragmática. A DDMX3 sempre foi apenas um meio e não um fim. Chegou a confessar para amigos próximos que só continuava na empresa porque era o grande sonho do seu pai vê-la no topo do mercado. O sonho de Ricardo, por sua vez, sempre foi bem diferente: comprar um veleiro e sair navegando pelos mares do mundo real. E, toda vez que pensava nisso, olhava para os inúmeros livros e revistas náuticas sobre sua mesa de trabalho e de vez em quando usava o supercomputador criado por Eduarda para pesquisar as ilhas mais distantes do oceano Pacífico.

Uma semana depois, Ricardo chega à sua sala e sorri ao abrir a tela do computador. Embora já fizesse uma ideia, a realidade dos números confirma o que antes era apenas uma projeção de resultados. A empresa obteve lucro recorde no ano. Olha para cima e diz com voz embargada:

— Estamos no topo, pai! Missão cumprida, meu velho. Agora está na hora de desfrutar desse sucesso. Esse é um excelente momento para vender a DDMX3, comprar meu veleiro e sair pelo mundo!

Abre a tela do computador e fica admirando as várias rotas traçadas na imensidão azul. Cada vez que acha algum lugar inusitado ou qualquer coisa que considere interessante, salva a informação não apenas no computador, mas também nas nuvens virtuais.

No fim do expediente, vai até Eduarda, que, para variar, trabalha atropelando as horas como um trator.

— Duda, vim te buscar pra gente jantar. Nem pense em adiar ou dizer não, tá? — diz ele sem esconder a felicidade. — Batemos recorde de lucro. A DDMX3 está no topo. Seu trabalho foi maravilhoso. Já podemos viajar para comemorar!

— Hein? Ricardo? — Eduarda parece ter acabado de aterrissar no planeta Terra. Estava claro que não ouvira sequer uma palavra.

O marido percebe, mas consegue controlar a irritação. Pega a mulher pelo braço de maneira gentil.

— Vem comigo agora, por favor? — diz ele quase num sussurro.

Sentindo-se culpada como sempre, Eduarda pega a bolsa e sai com o marido para jantar. Mal sentam no restaurante e Ricardo começa a contar seus planos com muita animação.

— Querida, chegou a hora. Nossa empresa está no topo.

— Hora de quê, Ricardo?

— Como assim, Duda? De vender a DDMX3! Foi o que combinamos, esqueceu de novo?

— Ah, não... Claro que eu lembro. Mas já?

— Claro! A hora é agora! Teremos dinheiro para as próximas três gerações da família, amor!

— Aham... — murmura a mulher, em outra sintonia.

— Já tenho tudo planejado! Vamos dar a volta ao mundo. Por que você acha que quero batizar o nosso veleiro de *Júlio Verne*? E quando voltarmos, Dudinha, poderemos construir nossa família. Um casal de filhos seria perfeito.

Ricardo continua empolgado, contando seus planos por mais uns quinze minutos. Eduarda se esforça para ouvi-lo, sem esconder que está em choque com tudo aquilo. Porém, para não quebrar o clima da noite e a felicidade explícita do marido, fica calada e dá um sorriso desbotado de vez em quando.

Já em casa e na cama, passa a noite em claro olhando para o marido, que dorme tranquilo, como se já tivesse embarcado no sonho da sua vida.

No dia seguinte, Eduarda chega toda agitada ao trabalho. Reúne sua equipe e diz que teve uma ideia que faria a empresa crescer dez anos em três meses. Rapidamente ela apresenta o projeto para os membros de sua equipe, que trocam olhares incrédulos e de admiração.

— É isso, pessoal — conclui Eduarda. — A DDMX3 vai antecipar o futuro. Agora é que começa o grande desafio. Vamos lançar os primeiros computadores quânticos do mundo e acabar de vez com a concorrência.

Uma semana depois, Maurício, diretor financeiro da DDMX3, entra agitado na sala de Ricardo.

— Precisamos conversar.

— Tem que ser agora? — retruca Ricardo, distraído.

Maurício percebe então que Ricardo já está com a cabeça e a alma em outra estação. Olha para a mesa e vê livros sobre veleiros, iates, Júlio Verne, Amyr Klink... Sem falar no enorme monitor transparente top de linha desenvolvido por Eduarda que exibe o roteiro completo da viagem pelo mundo.

— Olha, Ricardo — insiste Maurício. — Fico muito feliz por você. Conheço seus planos desde a época da faculdade. E realizar o sonho de vida é algo para poucos, mas posso lhe fazer uma pergunta mais íntima?

— Você é meu irmão, Maurício. Claro que pode!

— Bom, a Eduarda sabe disso?

— Como assim? É claro que ela sabe. Por quê?

Maurício então finalmente conta a história do novo projeto de computadores quânticos que tinha como meta fazer com que a empresa crescesse dez anos em três meses.

Ricardo ouve tudo perplexo, mas prefere fazer apenas um comentário banal:

— Talvez a Duda queira um *grand finale* antes de partir. Você sabe como ela é.

— Tem razão — diz Maurício, mais aliviado. — Vai ver ela estava guardando esse projeto na gaveta para marcar seu nome na história.

A secretária de Maurício entra na sala avisando-o de um telefonema urgente.

— Bom... Espero ser convidado para a festa de despedida — conclui, antes de sair.

Algumas horas depois, Ricardo sai de sua sala e, com passos firmes, vai procurar por Eduarda.

— Ela já foi embora — informa um dos membros da equipe da mulher.

A informação de que Eduarda havia saído antes dele foi o impulso final para que Ricardo decidisse ir o mais rápido possível para casa.

Chove horrores quando ele desce do táxi e entra correndo em casa. A primeira cena que encontra é Eduarda deitada no sofá da sala com um tablet nas mãos.

A mulher está tão concentrada que nem nota o marido aproximar-se. Isso aumenta ainda mais a raiva de Ricardo, que logo dispara:

— Eduarda, que história é essa de fazer a empresa crescer dez anos em três meses?

A mulher leva um verdadeiro susto, deixando o tablet cair no sofá.

— Nossa! Que susto, Ricardo.

— Susto levei eu quando soube do seu projeto através do Maurício. Será que o marido tem que ser sempre o último a saber? — pergunta, sarcástico.

— Como assim, Ricardo? Você chega em casa todo molhado e nem me dá um oi. E fica aí com ironias... Depois eu é que sou distante. — Eduarda olha para a janela, onde os pingos grossos batem raivosos.

— Não enrola, Eduarda — continua Ricardo. — Eu te conheço muito bem. Me explica como você pode pensar num novo projeto se vamos vender a empresa?

A mulher olha séria para o marido, ainda deitada no sofá.

— Ricardo, não acredito que você seja contra um projeto que vai quadruplicar o valor da DDMX3! Estou pensando no futuro da gente, amor. Pedi para a minha equipe foco total nos próximos três meses. Vamos antecipar o futuro, meu amor!

— Não estou questionando o projeto. O Maurício me contou, é brilhante. Só quero saber se você esqueceu que eu quero vender a empresa e dos nossos planos.

— Nossos planos? Fiz tudo que você pediu. Assinei a procuração pra você comprar o veleiro em nome da empresa e montei um supercomputador para que o meu Ricardo pudesse pesquisar rotas e ilhas. Poxa, amor, você já esperou tanto. Não pode esperar mais três meses?

— Você sempre fica adiando, Eduarda. Isso me irrita, sabia? — diz Ricardo, bem menos irritado do que quando chegou.

— Ricardo, presta atenção, meu amor. Acredita na sua Dudinha. O lançamento do computador quântico vai revolucionar o mundo e marcar pra sempre o nome da DDMX3 e o do seu pai. Esqueceu do sonho dele?

— Dele e seu, né, Eduarda? Mas será que você esqueceu do meu?

Ao ouvir isso, Eduarda sorri e dá um abraço carinhoso e muitos beijos no marido. Ricardo corresponde com a mesma intensidade.

— Ricardo, eu te amo. — A mulher segura o rosto do marido entre as mãos. — Só que... Só que esse projeto vai além de tudo que sonhei.

Ricardo amava demais a mulher para resistir. Logo, bebem algumas garrafas de vinho, conversam, riem e fazem sexo sem nenhuma preocupação.

Depois de duas semanas sem colocar os pés na empresa, Ricardo aparece e convida a mulher para almoçar. Diz baixinho no ouvido dela:

— Tenho uma surpresa que você vai adorar.

Eduarda sempre foi uma curiosa nata. Topa na hora.

— Oba! Deixa eu pegar minha bolsa, amor.

Já no restaurante, Ricardo pega um envelope e entrega para a mulher. Eduarda abre quase rasgando o papel e leva um susto.

— O que é isso, Ricardo? Uma passagem para a Suíça? Não entendi.

Ricardo sorri e olha durante alguns instantes, admirado, para aquela mulher linda e talentosa, que parecia ter uma beleza diferente guardada para cada expressão do seu rosto.

— Amor, abre o outro envelope que está junto com a passagem.

— Ih, é mesmo. Eu nem tinha percebido que havia outro envelope aqui. O que é, amor? — Ela rasga o papel, ansiosa. — Não acredito! Uma autorização para conhecer o Centro Europeu de Pesquisas Nucleares?

— Isso é, na verdade, mais do que uma autorização. É um curso com dois dos maiores físicos do mundo. Lá é o melhor lugar para você testar na prática o computador quântico.

— Nossa, amor! Você não existe, sabia? — Eduarda pula de alegria. Dá a volta na mesa e enche Ricardo de beijos. Nem se importa com o copo cheio que derruba durante a euforia.

— Mas você tem que prometer que depois disso vamos vender a empresa e partir com o *Júlio Verne*, tá?

Ela sorri e continua a beijar o marido.

Eduarda volta da Suíça dez dias depois. O motorista da empresa vai buscá-la no aeroporto e diz que Ricardo já está em Angra esperando por ela. Ela avisa que primeiro precisa dar uma passada na empresa.

Na DDMX3, cumprimenta a recepcionista e entra, apressada. A moça, totalmente surpresa, vai atrás dela.

— Um momento, senhora. Deseja falar com quem?

Eduarda parece nem ouvir e segue em frente. Leva um susto quando percebe que está tudo bem diferente na empresa. Inclusive as pessoas. Intrigada, vai direto para sua sala. Ao entrar, vê um homem bem jovem sentado em sua cadeira.

— Boa tarde. Posso ajudá-la? — pergunta o jovem com simpatia.

A recepcionista chega à sala, mas o homem faz um sinal para que ela dê meia-volta e feche a porta.

— Que honra finalmente conhecer a famosa Eduarda Gianotti, a mulher que revolucionou o mundo da informática, como Bill Gates e Steve Jobs! — exclama sinceramente admirado.

Eduarda dá um sorriso sem graça e permanece calada, sem saber o que dizer.

— Pensei que você já estivesse no meio do oceano — continua o jovem. — Pelo menos foi o que o Ricardo me disse quando perguntei se podia contar com a ajuda de vocês. A curto prazo, claro.

Eduarda olha surpresa para o rapaz e finalmente entende tudo. Ricardo havia vendido a empresa. A mulher tem um flashback da procuração que ele pedira para que ela assinasse. Nervosa, chega a pegar o celular na bolsa, mas o guarda de volta.

— Aconteceu alguma coisa, Eduarda?

— Não... Não se preocupe. Estou ótima. — Ela tenta sorrir. — Me diz uma coisa, você é o Cesário "Cyber" Júnior? O estagiário mais jovem da história do Google?

— Nossa, que orgulho você lembrar de mim! — Os olhos do rapaz brilham.

— Ah, eu procuro estar por dentro de tudo ligado à informática. Tudo mesmo! — Eduarda sorri e caminha na direção da porta. — Boa sorte e sucesso para você, Júnior. A DDMX3 é uma empresa espetacular. — Ela não disfarça um certo embargo na voz e abre a porta, mas decide fazer uma última pergunta.

— Júnior, você está precisando de uma diretora de projetos?

Surpreso, o rapaz sorri e diz com a simpatia de sempre:

— Só se for para antecipar o futuro.

Em Angra dos Reis, Ricardo olha ansioso para o celular e para o relógio. Uma sensação intensa de insegurança só aumenta seu nervosismo. Abre um sorriso quando finalmente vê o carro da empresa entrar na garagem da casa. Dá um pulo de alegria e pega a garrafa de champanhe e as taças que havia preparado para comemorar com a mulher o início da grande aventura. Entretanto, seu entusiasmo é engolido quando o motorista sai sozinho do carro e caminha em direção ao cais, visivelmente confuso. Ricardo sente um mundo de amor e aventuras desmoronar dentro de si na ausência de Eduarda. Resignado, apenas acena um adeus para o motorista, antes que este chegue perto e lhe diga o que ele já sabe. Iça as velas de *Júlio Verne* e parte em direção ao seu sonho.

Um mês depois, Eduarda conversa com um colega da DDMX3 quando sente o celular vibrar. Tinha acabado de receber um vídeo: a imagem de um veleiro filmado por um drone. Ele vai subindo lentamente até que o barco vira apenas um ponto branco na imensidão azul do oceano. Eduarda corre para o banheiro e chora descontroladamente, perdendo por completo a noção do tempo.

Mentes perigosas

Maurício acorda ainda tonto por causa da noite anterior. Olha enjoado para os copos e garrafas de bebida espalhados pelo quarto. Apenas de cueca, nota que sua companheira de esbórnia já havia partido. É o relógio que está em cima do travesseiro que o faz despertar. Meio-dia, hora que, ao contrário do que dizia Machado de Assis sobre a meia-noite, não apavora ninguém. Como toda regra só se confirma quando surge uma exceção, o homem de cerca de quarenta anos e corpo esguio fica agitado e preocupado. Pega o celular e vê que estava abarrotado de mensagens. Sente vontade de vomitar e de fato esvazia o estômago.

Após o rápido banho frio, sente-se melhor. Enquanto se veste, lê uma mensagem no celular: "Dr. Maurício, notamos movimentações estranhas nas suas contas no exterior".

Maurício dá um salto da cama, desesperado. Acessa suas contas pelo tablet. À medida que vê que todas foram esvaziadas, seu desespero aumenta. Larga o tablet, pega o celular e faz uma ligação.

Ouve uma gravação com voz de mulher:

"Maurício, meu querido, não foi maravilhosa a nossa noite? Confesso que adorei. Mas a vida continua e preciso seguir em frente.

Ah! Caso você tenha ficado chateado com os pequenos saques que eu fiz nas suas contas no exterior, é melhor se acalmar. Deixei um envelope com várias cópias de desvios e sonegação das suas empresas bem aí, na sua cabeceira."

Maurício vai até o local indicado e pega o envelope rosa com uma marca de batom como se fosse um lacre. O desespero toma conta de seu rosto quando vê o conteúdo. Continua a ouvir a gravação:

"Viu, meu querido? E olha que isso aí é só uma pequena amostra. Tenho fotos nossas que sua mulher não gostaria nem um pouquinho de ver. Lembra quando você me contou como ela é possessiva e ciumenta? Pois é. Ah, também onde seus filhos estudam. Mas não fique zangado, isso só vai piorar sua situação, tá? Ah! Esse telefone já estará desativado depois que você ouvir meu recadinho. Adorei nossa noite, viu? Melhor mesmo só os valores que peguei das suas contas no exterior. Acho que fiz por merecer. Um beijo, Vanessa."

Maurício atira o telefone contra a parede.

— Vagabunda! Piranha filha da puta!

Vanessa entra em casa radiante com o sucesso de mais uma noite. Joga-se no sofá e dá uma gargalhada de felicidade.

— Mais um otário pra minha coleção!

Mantém o sorriso de triunfo enquanto tira os sapatos e contempla a própria imagem no espelho da sala. Tal narcisismo talvez fosse atenuado ou pelo menos em parte justificado pelas curvas harmoniosas da mulher de vinte e oito anos. Um corpo perfeito conquistado com muita musculação, dieta rígida e lipoescultura. "Investimentos necessários", como costuma dizer. É vaidosa além do aceitável, mas sabe esconder seu narcisismo atrás de um sorriso encantador que não sai de seu rosto quando está em público. Só usa roupas de grife em todos os eventos de arte que frequenta, mas só dá o ar da graça naqueles em que pode escolher com antecedência a vítima da vez. Ela usa a internet para pesquisar minuciosamente a vida de cada milionário interessado em obras de arte.

— Vamos ver quem será o próximo otário. Mas, antes, eu mereço uma comemoração.

Começa então seu ritual da vitória. Coloca uma música no volume máximo. Solta os cabelos e tira a roupa lentamente. Fica apenas com sua lingerie Victoria Secret vermelha. Abre uma champanhe e brinda com o espelho. Começa a dançar enquanto admira o próprio reflexo, seduzindo a si mesma. Ao fim do ritual, quando a música acaba, dá um longo beijo na própria imagem.

Vanessa está de short e camiseta sentada diante do notebook. Toma um gole e larga o copo de suco de laranja ao lado do computador. Como sempre, passa horas no computador, pesquisando as maiores rendas do Brasil, aqueles milionários candidatos a entrar na próxima lista da revista *Forbes*. É uma profissional dedicada. Assina todos os sites importantes sobre economia e acompanha pelo smartphone, tablet e notebook a bolsa de valores, as cotações do dólar, do euro, do ouro... Tudo para escolher e entender a fundo suas vítimas. Após algumas horas passeando por vários sites e redes sociais, demonstra certa impaciência. Fica de pé, sentada, deitada... Até que finalmente trava a tela do computador no perfil de um homem.

— É você! Meu otário fofo! — exclama. — Antenor Silvestre, o Príncipe do Gado da Região Centro-Oeste. Hummm...

Como sempre fazia, primeiro analisou o perfil da vítima escolhida no Facebook. Depois, entrou em sites de encontros sociais do Mato Grosso e em uma página do agronegócio. O homem tinha trinta anos e aparecia sempre sorrindo nas fotos. Mas o que fez Vanessa sorrir foi o interesse da vítima por arte, ainda mais quando leu nas colunas sociais dos jornais da região que o rapaz estaria em um leilão de arte no Rio no fim do mês. Na mesma hora, começou a pesquisar tudo sobre o evento.

— Esse Príncipe do Gado vai ser fácil demais. Mais um caipira milionário e brega que pensa que investir em arte vai transformá-lo num homem culto. Tenho que rir dessa gentinha.

Quando a noite já passava o bastão para a madrugada, a mulher fecha o computador com tranquilidade e adormece.

Acorda assustada pela manhã com o toque do telefone fixo, que era uma espécie de "telefone vermelho": quase ninguém tinha o número.

— Alô? — atende e logo o sono dá lugar ao entusiasmo. — Tia Alice! A senhora nem imagina quanto sua sobrinha está arrasando aqui no Rio.

— Que bom, minha filha. Só que infelizmente tenho notícias ruins. Estou aqui no hospital. Sua mãe piorou muito — diz a mulher com voz cansada.

— Ai... Sou uma ingênua. Pensei que fosse alguém da minha família feliz com meu sucesso.

— Sua mãe está quase morrendo, menina. Olha o respeito!

— O que você quer que eu faça, tia Alice? Já mandei dinheiro pra cacete pra vocês. Eu não sou médica.

— É sua mãe, menina. Não fala assim.

— Assim como, tia Alice? Todo mundo morre um dia. Se chegou a hora da minha mãe, o que eu posso fazer, hein?

— Vira essa boca pra lá, menina! Você vem pra cá ou não?

— Pra quê? Não tem gente suficiente aí pra carregar o caixão? Não tem homem aí nessa cidade de merda?

— Você não vem nem se despedir da sua mãe? A pessoa que te criou com todo amor, Vanessa? O que será de você com esse coração de pedra, minha filha?

— Pode ir parando, tia. Você acha que eu não faço nada na vida? Pois fique sabendo que sua sobrinha aqui estudou artes plásticas em Nova York, fez estágio no MOMA, trabalhou nas melhores galerias de arte do Brasil. Eu sou a única que conseguiu ser alguém na vida nessa família de fracassados.

— Que Deus te perdoe, minha filha.

— Ué, vocês não vivem dizendo que quando é a vontade de Deus ninguém pode fazer nada?

— Para com isso que é pecado, menina! O que eu digo pra sua mãe?

— Diz pra minha mãe que eu sou o orgulho dessa família. Pra ela dizer pra todo mundo que a filha dela é uma vencedora, que está arrasando no Rio de Janeiro! Garanto que ela é capaz até de ficar boa.

— Meu Deus, Vanessa. Você...

— *Bye-bye*, tia Alice. — Vanessa desliga o telefone e volta a dormir tranquilamente.

Vanessa entra em casa muito bem-vestida e às gargalhadas. Mais uma missão bem-sucedida.

— O Príncipe do Gado virou o Otário das Galinhas! Nunca vi um cara tão rico e tão burro ao mesmo tempo. E o mané ainda broxou! Acho que vou rir durante um mês!

Vanessa coloca a mesma música e faz todo o ritual da vitória. Só que, dessa vez, abre mão do prolongado beijo final na própria imagem. Está tão empolgada com seus últimos resultados que, após um banho relaxante de quarenta minutos, já retoma o seu obstinado trabalho de pesquisa. Dessa vez é bem mais fácil encontrar o milionário da vez. Robert Amaral é um cara estilo novo rico. Há dez meses retornou ao Brasil, após cinco anos em Miami para ser o representante da NanoTec, a líder mundial em nanotecnologia, especializada em nanorrobôs destinados à medicina de alta tecnologia. Todas essas informações foram fáceis de levantar no perfil do jovem milionário nas redes sociais. Vanessa, entretanto, não deixa escapar nada. Entra em outros sites e pega tudo que pode ser útil sobre o trouxa da vez. Como sempre, comenta com voz infantil as características da vítima:

— Então você fabrica nanorrobôs para curar doenças. Que fofinho o mocinho, gente! Humm... Vamos ver... Opa! É fã de Salvador Dalí. Olha quantas fotos do Dalí no perfil dele, pessoal. Que ótimo! Ah, não acredito! Amanhã vai ter um leilão e você vai, meu lindo? Não acredito! É bom demais pra ser verdade. A principal peça do leilão é um quadro do Dalí. Maravilha!

Vanessa fecha o computador certa de que não precisa de mais nada.

— Então nos vemos amanhã, Robert Amaral, meu otário surrealista!

No dia seguinte, Vanessa chega ao leilão deslumbrante num vestido vermelho Valentino.

Cumprimenta algumas pessoas conhecidas com sua simpatia contagiante. Vê Robert diante do quadro de Dalí quase delirando de emoção. Pega uma taça de champanhe e aproxima-se olhando fixamente para o quadro, como se Robert não existisse. Cita uma frase do famoso artista surrealista:

— "Como posso querer que meus amigos entendam as coisas loucas que passam pela minha cabeça se eu mesmo não compreendo?"

Robert desvia o olhar do quadro para Vanessa sem esconder a surpresa.

— Nossa, que surpresa boa encontrar uma fã de Dalí e que ainda conhece minha frase preferida dele!

Vanessa finge só ter notado o homem nesse instante e sorri.

— Como? Ah, boa noite! — diz com simpatia. — Eu amo tudo do Dalí. Sou louca por ele — acrescenta, contemplando com admiração a obra do artista.

Robert olha com curiosidade para aquela mulher tão surreal quanto o quadro de seu ídolo.

— Sabia que eu vivo repetindo essa frase que você citou para meus amigos? Eles não conseguem entender minha paixão pelo Dalí.

— Sério? — Vanessa olha em volta como se procurasse tais pessoas. — Eu não entendo é quem não se apaixona pela obra genial dele. Nossa, Dalí é tudo!

— É exatamente o que eu digo aos meus amigos! — Ele olha para a moça e muda para um tom curioso. — Mas você não vai dar nenhum lance nesse quadro não, né? Ou teremos uma batalha de lances!

Vanessa sorri.

— Não, não. Pode ficar despreocupado. Esta noite estou a trabalho. Seria no mínimo antiético, concorda?

— Claro, claro! Mas eu pretendo cobrir todos os lances. Ninguém vai me impedir de levar essa beleza pra casa.

— Tenho certeza de que você vai conseguir. Uma obra assim tem que ser mesmo de alguém que tenha essa nossa paixão pelo Dalí, não é mesmo?

— Não só concordo com você como acho que nós dois temos isso em comum e, quem sabe, também outras coisas? — diz o rapaz, sedutor.

Vanessa abre um sorriso ainda mais encantador.

— Desejo toda sorte para você. Agora, se você me der licença, preciso trabalhar.

— Espere. Que falta de educação a minha! Sou o Robert.

— Prazer, Vanessa.

— Podemos nos falar depois do leilão, Vanessa?

A moça apenas sorri e se afasta. Robert tenta, em vão, concentrar-se apenas no surrealismo de Dalí.

Após uma disputa ferrenha com outros investidores, Robert arremata o tão sonhado quadro. Os presentes aplaudem e Robert agradece sorrindo, sem deixar de procurar Vanessa com o olhar.

— Não falei que seria meu? — diz quando se aproxima da moça.

Vanessa sorri como se a vitória fosse dela.

— Eu sabia! Tinha certeza! Seu amor por Dalí venceu.

Robert devolve o sorriso e o comentário entusiasmado.

— Obrigado. Você me deu sorte!

— Eu? Que é isso...

— Sério. Posso dizer que conhecer você valeu tanto quanto arrematar esse Dalí para minha coleção.

— Ah, você além de ter bom gosto é muito gentil.

— Que tal jantar comigo pra gente comemorar esta noite inesquecível?

Pela primeira vez, a moça troca o sorriso por uma expressão séria.

— Poxa, eu adoraria, mas amanhã tenho muitas coisas para resolver cedinho.

— É mesmo? Que pena. Mas então me dê seu cartão. Não saio daqui sem seu telefone, pelo menos.

— Ok, não vamos brigar por isso. Anota meu número.

Quando ela acaba de ditar os números, o homem sorri.

— Te ligo amanhã.

Vanessa dá aquele sorriso fatal que sempre usa nas despedidas e vai embora, deixando Robert extasiado.

Após várias ligações e mensagens, Vanessa aceita o convite de Robert e marca um encontro num famoso restaurante carioca. Antes de sair de casa, deslumbrante e bem-vestida, a mulher olha para o espelho, seu maior amigo e confidente.

— Vamos lá. Mais uma noite, mais uma vitória, mais um otário.

A chuva cai preguiçosa sobre um iluminado Cristo Redentor. Há pouca gente no restaurante quando Vanessa chega, linda, em outro vestido vermelho Valentino.

Robert já está lá, sentado a uma das mesas no canto, próximo a um espelho que parece ampliar o tamanho do aconchegante lugar. Olha para a mulher sem esconder o deslumbramento. Levanta-se e puxa uma cadeira para Vanessa, que senta de frente para o espelho. Após trocarem cumprimentos e amenidades, Vanessa diz:

— Poxa, querido, andei resolvendo um monte de coisas de família, sabe? Minha mãe está muito doente e mora longe. Você sabe como são essas coisas. — Começa a chorar. Robert fica preocupado e pede água ao garçom. Quando a moça se acalma, pergunta:

— Sério? É grave? Se precisar eu posso colocar um jatinho à sua disposição para você visitá-la.

— Você é mesmo um homem de verdade. Um amor... É muito gentil da sua parte, mas eu já resolvi tudo. Tadinha da minha mãe. O câncer é mesmo uma doença terrível. É uma tristeza ver a mãe da gente definhar numa cama — lamenta Vanessa, com voz chorosa.

— Poxa, Vanessa... E eu pensando que você não queria me encontrar mais e fiquei cheio de raiva. Desculpa pelo meu egoísmo, tá?

— Não se preocupe, querido. Como você poderia adivinhar?

O garçom enche as taças com champanhe. Robert sorri e, para tentar levantar o astral da jovem, propõe um brinde.

Vanessa sorri e, enquanto bebe, lança um olhar enigmático para o homem. Após duas garrafas de champanhe, o casal já conversa num tom bem mais alegre.

— Robert, sabe que eu fiquei curiosa com uma coisa?

— Sério? Estou aqui para realizar todos os seus desejos, ó deusa da beleza infinita!

— Paaara... É sério!

— Ok, ok. Diga.

— Fiquei curiosa pra ver como ficou o quadro do Dalí na parede da sua casa. Ai, aquele quadro é tudo de bom.

— Ah, claro. Podemos marcar um dia. Sem problemas... — Robert hesita e aparenta desconforto. Vanessa percebe.

— Desculpe. Nem sei por que falei isso. Não quero invadir sua privacidade e...

— Não é nada disso, meu amor — diz Robert, interrompendo-a. — Claro que seria um prazer imenso levá-la para minha casa agora. Na verdade, sonhei com isso.

Vanessa dá um sorriso tímido.

— Acontece que eu também estou com um problema familiar, Vanessa. — Vendo a cara assustada da mulher, trata de explicar tudo o mais rápido possível. — Quer dizer... Claro que não é um problema sério como o da sua mãe. Imagina... Na verdade, fiquei até com vergonha de ter dito isso. Peço perdão. Diante do seu problema seríssimo, o meu nem...

— Fique à vontade se não quiser me falar, Robert — interrompe Vanessa.

— Na verdade, Vanessa, meus pais moram fora e estão passando uns dias lá em casa. É isso.

— Sem problemas, querido. A gente combina num outro dia. — Vanessa faz biquinho.

— Que é isso, meu amor. Não fique assim. Tenho uma proposta ousada pra te fazer.

— É mesmo, meu menino levado? — Ela volta a sorrir.

— Quero te propor uma coisa. Aliás, confesso que estou muito sem graça de propor isso para uma mulher única como você.

— Deixa de ser bobo, querido. Pode falar. Vai... Fala...

Robert parece tímido e aperta as mãos sem parar.

— Eu queria propor de irmos pra sua casa hoje.

— Minha casa?

— É... Tem problema para você?

— Não. É que... Bem, você me pegou de surpresa.

— Olha, Vanessa, vou ser totalmente sincero com você. Na verdade, estou sendo um pouco egoísta querendo unir o útil ao agradável.

— Unir o útil ao agradável? Como assim?

O homem segura as mãos de Vanessa.

— É o seguinte: você não mora na praia de Botafogo?

— Moro. E daí?

— E daí, meu amor, que amanhã tenho uma reunião logo cedo com um cliente bem pertinho da sua casa. Mas também, como não quero nem pensar em passar a noite sem você, tive essa ideia.

A contraproposta do homem deixa Vanessa realmente desconcertada. Bebe um grande gole de champanhe. Robert insiste:

— Aceita, vai, meu amor. Prometo que é só dessa vez. Depois passaremos noites e mais noites no meu apartamento. Não só no do Rio, mas também nos de São Paulo, Nova York, Paris...

— Tudo bem, amor. Mas você promete não reparar? Meu apartamento é pequeno e simples. — Vanessa consegue recuperar a segurança e o encanto.

— Que é isso, meu amor! Não estou nem um pouco preocupado com isso. O que me importa é estar com você. Vamos?

Já na casa de Vanessa, transam loucamente no sofá da sala. Derrubam copos e a garrafa de champanhe e acabam na cama, onde continuam o sexo intenso. Na manhã seguinte, Vanessa é acordada com café na cama.

— Que fofo! — Ela sorri para o homem com a bandeja nas mãos.

Robert dá um beijo nela, sem conter a felicidade.

— Meu amor, tenho certeza de que nunca senti isso por ninguém. Acho que vou roubar você pra mim pra sempre!

Vanessa faz charme.

— Ah, eu não acredito em você. Todos dizem isso.

— Pois você vai ver! Seremos o casal mais feliz do mundo ou eu não me chamo Robert Amaral.

— Bobo! — Vanessa dá uma gargalhada e joga um travesseiro no homem.

Após trocarem juras de amor eterno, Robert vai até a sala e volta com o celular na mão.

— Amor, acabou a bateria e eu preciso passar a pauta da reunião ou vou acabar chegando atrasado. Tem algum computador ou tablet que eu possa usar rapidinho?

— Claro. Usa o do escritório.

Quando o homem sai do quarto, Vanessa faz cara de impaciência e raiva.

— Chato pra caralho. Que saco! Eu não mereço passar por tudo isso. Vou adorar limpar esse otário.

Levanta da cama e vai para o banheiro tomar um banho, retornando alguns minutos depois, vestindo um roupão. Robert está de pé na porta com um sorriso apaixonado, pronto para ir embora.

— Linda até com uma toalha na cabeça! Preciso ir, amor.

— Boa reunião, querido! — diz a mulher com um sorriso no rosto. — Ah! Quando seus pais vão embora? Não vai esquecer da sua promessa, hein?

— De jeito nenhum, meu amor! Quinta-feira eles já estarão longe e a casa será só nossa. Robert beija a moça com uma alegria incontida.

Vanessa leva o homem até a porta sem deixar de sorrir por um segundo. Apenas quando está sozinha suspira impaciente, limpando os lábios com a toalha.

— Cara pegajoso! Mas tudo bem, porque será o que vai me dar mais grana. Além do prazer de enganar um babaca que se acha esperto. Como um idiota desses ficou tão rico? Este mundo é injusto mesmo... — resmunga enquanto pega o notebook no escritório, senta no sofá e começa sua rotina de pesquisas.

— Bem, na quinta eu me acerto com esse mala. Agora vamos ver o próximo.

Ela abre o navegador e digita algumas palavras.

— Hummm... O Príncipe da Soja de Goiás. — Vanessa solta uma gargalhada. — Esses príncipes caipiras são ótimos!

De repente, o site some e no lugar surge um vídeo que ocupa toda a tela do computador. Na gravação, um escorpião corre e mata uma aranha negra com seu ferrão. Vanessa leva um susto. A cena se repete por cinco vezes. A mulher fica impaciente e aperta várias vezes a tecla ESC e a DELETE. O vídeo desaparece e a tela do computador fica preta com uma frase em letras brancas garrafais: "DESSA VEZ VOCÊ PERDEU".

A imagem treme e o computador desliga. Vanessa aperta todos os botões, nervosa.

— Que merda é essa?

Tenta de tudo, mas a máquina não liga. Deixa o notebook de lado e vai para o tablet, que funciona normalmente. A moça respira aliviada, mas por pouco tempo. Quando acessa suas contas, solta um grito. Todas estão zeradas, inclusive as do exterior.

— Não, não pode ser!

Em pânico, pega o smartphone e vai para a sala. Olha para o espelho onde realizava seus rituais da vitória.

— Você não pode ter sido tão burra, Vanessa! — Ela congela diante da mensagem que aparece na tela do celular.

"ACEITE. EU SOU MELHOR QUE VOCÊ."

Vanessa solta um grito louco de ódio e joga o celular com toda a força no espelho da vitória.

Mentes em pane

Após concluir o doutorado em filosofia, Abílio, de trinta e cinco anos, magro e com uma longa barba, chega ao segundo ano como professor no Instituto de Filosofia da UERJ. Conhecido por defender suas ideias com firmeza, frequentemente entra em discussões intermináveis com alguns colegas. Embora o filósofo alemão Friedrich Nietzsche tenha dito que não desejava discípulos nem seguidores, Abílio mergulhou fundo no estudo de sua obra e o cita constantemente nas aulas. Além de Nietzsche, admira imensamente o biólogo Richard Dawkins, autor de *Deus, um delírio*, uma das grandes mentes deste século.

— Esta aqui é a minha bíblia — costuma dizer ao mostrar o livro de Dawkins para os alunos. — Leitura obrigatória para quem deseja enfrentar as superstições religiosas.

Em uma noite fria de junho, Abílio experimenta um momento inesquecível. Tudo transcorre normalmente em mais uma aula com ênfase nos pensamentos de Nietzsche.

— Portanto, quando Nietzsche afirmou que "Deus está morto", foi como um grito de liberdade. Porque arrancou de uma vez só todo o medo e a culpa que as religiões jogavam sobre os ombros da sociedade. O alvo na época era o Cristianismo, mas tomem cuidado. Aqui no Brasil, todo dia surge uma igreja. Há uma grande quantidade de oportunistas nessas congregações e também esotéricos que distorcem o grande filósofo. Então, por favor, nada de interpretações metafísicas, ok?

— Professor, mas Nietzsche não usava muitas metáforas? — questiona um dos nove alunos da turma.

Abílio começa a suar frio. Sente o coração disparar e ele é tomado por uma súbita sensação de morte. Os outros alunos trocam olhares irônicos com o autor da pergunta. Mas, quando Abílio tira os óculos e apoia-se na mesa, percebem que está passando mal de verdade. O homem cambaleia. Quase ao mesmo tempo, todos os pupilos correm para socorrer o mestre. Um deles vai até a sala ao lado e pede ajuda ao professor, que corre para ver o que está acontecendo. Ao ver o estado de Abílio, pergunta:

— O que houve, Abílio?

— Não sei, Cássio. Me leva para o hospital, por favor? Tô passando muito mal — pede, muito nervoso.

— Claro, amigo. Vamos.

Cássio sai da sala, deixando os alunos assustados. Leva o colega às pressas para o hospital. Lá, Abílio é atendido na emergência por uma enfermeira e, logo depois, pelo médico de plantão. Após fazer uma série de exames, o médico responsável aparece.

— Olha, não há nada no coração e a pressão está doze por oito. — Ele se vira para Abílio. — O senhor deve estar trabalhando demais. Isso parece estresse.

Abílio agradece e não diz nada. Ainda grogue por causa da medicação, vai para casa de carona com Cássio.

— Obrigado pela carona.

— De nada. Olha, pega leve, tá?

Abílio entra em casa e sente que os sintomas desapareceram da mesma maneira repentina que surgiram.

Dois dias depois, o professor retorna com sua energia natural para polêmicas. Ainda na sala dos professores, conversa com Cássio, seu amigo e professor de física.

— Cássio, você está me dizendo que não gostou do livro *Deus, um delírio*, do Richard Dawkins? Você só pode estar de sacanagem.

— Não disse que não gostei, Abílio — explica Cássio, paciente. — Só acho que esse cara é um radical. Um fundamentalista. Como um filósofo pode aceitar tantas verdades absolutas?

— Como assim? O cara elevou o evolucionismo e arrasou com o criacionismo. Merece aplausos.

— Abílio, você sabe que concordamos em muitos assuntos. Como físico, acredito que um dia a física quântica... a ciência como um todo, vai provar que Deus está mesmo morto. Mas considero Dawkins um desonesto intelectual e um oportunista. Afinal, o homem precisa vender livros, né?

— Que absurdo! O cara está do nosso lado, Cássio. Você não acha que a humanidade já sofreu muito por causa das superstições?

— Porra, Abílio! Deixa de ser inflexível. Acho melhor você ficar só com Nietzsche, amigo. Esquece aquele arrogante cheio de verdades.

Abílio faz um gesto negativo com a cabeça, mas fica calado. No corredor, cada um vai para um lado. Abílio dá três passos e começa a apresentar os mesmos sintomas da crise anterior, só que ainda mais fortes. Entra rápido no banheiro e começa a jogar água no rosto, completamente desesperado. O coração dispara. Começa a suar frio. Sente um formigamento esquisito no braço esquerdo. "Estou infartando", pensa, e sai do banheiro correndo. Dessa vez é socorrido por uma professora e vai parar novamente no hospital.

Fazia duas semanas que Abílio estava em casa totalmente isolado, na cama, tentando entender o que acontecia. Na verdade, para ele era inconcebível passar mal quando descia para comprar um simples jornal. Por isso, desistira de pôr os pés na rua até descobrir o que tinha. Ficou puto quando o médico disse que ele não tinha nada no coração, mas no cérebro. Mesmo contrariado, foi obrigado a aceitar um mês de licença médica da faculdade.

O toque da campainha interrompe o turbilhão de pensamentos. Abre a porta e vê uma mulher bonita, sorridente e com algo peculiar: parece ter saído de um baralho de tarô, tamanha a quantidade de símbolos holísticos que exibe nas roupas, na testa, nos anéis, colares e pulseiras.

— Oi, Paty. Que surpresa! Entre.

A mulher dá um abraço demorado e apertado em Abílio.

— Meu amigo querido! Como você está? Estou preocupada com você! Sua mãe me ligou de São Paulo perguntando por você e pediu que eu viesse aqui. Parou de atender o telefone? A faculdade está em greve?

— Calma, Paty! Para de me bombardear de perguntas, porra!

— Ih, tá com a *vibe* ruim, é?

— Desculpe. Vem aqui no quarto que eu te conto tudo.

Paty e Abílio são amigos de infância que seguiram caminhos profissionais bem opostos, mas que nunca deixaram de se falar, ainda mais num mundo onde a tecnologia encurta distâncias. Mesmo assim, não deixava de ser curioso um filósofo amigo de uma terapeuta holística. De todo modo, Abílio deita na cama e conta seu tormento. A amiga ouve atentamente e em total silêncio.

— Entendeu meu drama, Paty? — conclui Abílio. — Estou achando que esses médicos não sabem de nada.

— Amigo, nada de desespero. — Paty sorri. — Sua energia deve estar bloqueada e...

— Não! Pode parar, Paty! — interrompe o amigo, irritado. — Nem pense em começar com esses papos de energia, karma, conjunção astral ou qualquer coisa do tipo.

— Deixa de ser grosso, Abílio! Só estou preocupada com sua saúde, tá?

— Sei... Não tô com a menor paciência pra ouvir suas superstições. Ainda mais agora.

— Ah, é? — A moça parece magoada. — Pois então vou embora! Quando você deixar de ser cabeça-dura e um pouquinho menos radical, eu volto, tá?

Ela sai do quarto irritada.

— Para com esse ataque babaca e volta aqui, Paty!

Mas a amiga já está na porta e ainda lhe diz antes de sair:

— Ah, e fique sabendo que eu acho o Richard Dawkins um idiota!

No dia seguinte, mais uma vez Abílio esquece de desligar o despertador da cabeceira da cama, que toca às seis da manhã. Ele desliga o aparelho e tenta voltar a dormir. Não consegue. Suspirando e arrastando o corpo pelo corredor, vai até o banheiro. Seus movimentos são lentos até para escovar os dentes. Quando olha para o espelho, sente outra crise chegar mais violenta que todas as anteriores. Sua frio. O coração dispara. A visão fica embaçada. Sente que vai desmaiar e corre para a cama. A frase "Deus está morto" ecoa em sua cabeça no meio de uma terrível sensação de despersonalização. Em completo desespero, pega o celular e liga para Paty.

— Paty! Vem pra cá, pelo amor de Deus!

— Pra quê? Não tolero grosseria, Abílio.

— Porra, Paty! Eu estou morrendo! Estou morrendo!

Paty percebe que é sério. Em poucos minutos chega aflita no apartamento do amigo e já encontra a porta aberta. Vai até o quarto e vê Abílio encolhido na cama. A crise havia quase que desaparecido, mas a mulher nota que a torneira do banheiro está aberta e a escova de dentes largada no chão.

— Como você está, amigo? Melhorou? Quer que eu chame uma ambulância?

— Não. Senta aqui perto de mim, Paty.

Abílio ainda está pálido e nervoso. Abraça a amiga com força. Aquela sensação de morte iminente fez o homem baixar a guarda e tirar a armadura, por assim dizer. Paty corresponde ao abraço.

— Meu amigo quer ser o super-homem, né? A dúvida é saber qual deles. O de Nietzsche ou o super-herói dos quadrinhos? — diz Paty, tentando acalmá-lo.

Após alguns instantes abraçados, Abílio olha para a amiga ainda preocupado com os sintomas que o faziam acreditar que estava próximo dos braços da morte.

— Agora é sério, Abílio — diz Paty. — Você me chamou e eu vim na hora. Então dessa vez promete que vai me ouvir?

— Prometo...

— Ótimo. Não precisa nem trocar de roupa. Vou te levar na clínica de um médico amigo meu de extrema confiança.

Imaginando por um instante um lugar com monges, mantras e incensos, Abílio fica um tempo em silêncio.

— Anda, Abílio! Vamos!

Abílio aceita, resignado. Qualquer coisa é melhor do que aquela terrível sensação de morte. Na clínica, Abílio fica um dia e meio fazendo todos os exames possíveis. Paty fica ao seu lado o tempo todo. Finalmente o médico chega ao quarto.

— Abílio, só tenho notícia boa. Você é organicamente um menino. Não há nada no seu coração, nem em qualquer outro órgão. Está tudo zero-quilômetro.

— Mas, doutor... — tenta argumentar Abílio. — E essa sensação de morte?

— Calma — pede o médico. — Ainda não terminei. Quero dizer que, descartados os problemas físicos, você deve estar com problemas que estão afetando seu sistema nervoso e o seu cérebro.

— Problema no cérebro? É um tumor? — pergunta Abílio, já pálido.

— Acalme-se! Acredito que seja um problema mais psicológico mesmo, de fundo nervoso.

Abílio olha para Paty sem saber o que pensar. Na volta para casa, não consegue dizer nada. O turbilhão de pensamentos tem o efeito de uma mordaça para ele. Paty percebe e resolve falar o que pensa.

— Aposto que você queria que o dr. Emílio achasse alguma doença que você considerasse real, né, amigo? Você só acredita naquilo que pode ver. A cabeça comanda tudo, meu amigo. O corpo só reflete o que acontece dentro da nossa mente.

Dessa vez, Abílio não está com nenhuma vontade de debater.

— Olha, Abílio, você pode ficar puto, mas tenho certeza de que isso é um desequilíbrio energético. Você precisa equilibrar seus chakras. Já experimentou yoga? Meditação?

Paty continua falando o seu diagnóstico de terapeuta holística enquanto Abílio permanece num inacreditável silêncio para um homem que parecia sempre ter resposta para tudo. Chegando em casa, sente que a crise desaparecera por completo.

— Paty, estou me sentindo bem melhor. Preciso respirar. Vou no mercadinho comprar umas coisas aqui pra casa, ok?

— Se você quiser eu vou pra você, Abílio. Não tem problema nenhum.

— Não, amiga, obrigado. Preciso voltar a sair de casa sozinho. Além disso, o mercadinho é logo aqui embaixo do prédio, esqueceu? Não se preocupe, já volto.

Paty sorri, olhando para sua bolsa, como se tivesse tido uma grande ideia.

— Tudo bem. Vou preparar uma surpresa pra você.

Abílio olha meio desconfiado para a amiga, mas fica calado. Sabe que Paty é muito sensível e não quer magoá-la novamente. Dá de ombros e vai às compras.

Quando volta do mercado e entra em casa com quatro sacolas cheias nas mãos, sente um cheiro estranho. Larga as compras de qualquer jeito na cozinha e vai para a sala. Leva um choque. Na sala, nos quartos e até no banheiro há incensos acesos. Um mantra ecoa alto a partir do aparelho de som do quarto. Paty aparece sorridente, com um símbolo hindu na testa.

— Gostou, amigo? — quer saber Paty, feliz e agitada. Antes que ele possa responder, começa a explicar: — Esse mantra é do deus hindu Ganesha. É para remover os obstáculos e para atrair a prosperidade. Ah! — Anda em direção ao banheiro. — Olha só, preparei um banho com sal grosso e algumas ervas que sempre carrego comigo. Vou fazer uma verdadeira faxina espiritual em você, meu amigo.

Passado o momento de perplexidade, Abílio tem um ataque de fúria e descontrole total.

— Porra, Paty! Isso não! É sacanagem! Você quer me matar de vez!

Sai feito um louco pela casa, pega os incensos e joga no vaso sanitário, sem esquecer de dar a descarga. Desliga o som e puxa a tampinha da banheira para se livrar do banho de sal grosso com ervas.

— Para! Seu maluco ingrato — grita Paty, após acompanhar, perplexa e sem reação, o amigo destruir em segundos o que ela levou uma hora para preparar com todo o carinho.

Abílio não responde. Pega a amiga pelo braço e a leva até a porta.

— Vai embora, Paty. Porra! Você sabe que eu odeio superstições! Você quer me matar de vez? — Descontrolado, Abílio não só expulsa Paty de casa como ainda bate a porta na cara da moça.

Ainda chorando, Paty liga do carro para Abílio. O homem acha que pegou pesado demais e atende.

— Paty, eu..

A amiga nem o deixa falar.

— Seu filho da puta ingrato! Da próxima vez que passar mal, liga para aquele escroto do Richard Dawkins! Ou, se preferir, para qualquer um desses gênios ateus que morreram loucos ou se mataram! — Ela desliga sem esperar resposta.

No dia seguinte, após escovar os dentes e não sentir nada, Abílio acha que está tudo bem e vai até a agência do seu banco. Ao entrar, fica preso na porta giratória.

— O senhor está com algum objeto de metal aí? — pergunta o segurança, com a mão na arma.

— Já deixei a chave e o celular na caixinha — garante Abílio, irritado.

— Tem certeza de que o senhor tirou tudo? Relógio? Cinto? — o segurança começa a repetir a lista de objetos feito um papagaio.

Cada vez mais irritado, Abílio tenta retornar, mas a porta giratória trava completamente, prendendo-o. Aquela situação que foge ao seu controle aumenta seu desespero. Volta a olhar para o segurança, pensando em xingá-lo, mas se dá conta de que tanto a imagem quanto a voz do homem estão distorcidas, como num filme de terror. O coração começa a disparar, ele sua frio e sente um formigamento da cintura para cima. Tenta puxar o ar, mas não consegue respirar. Chega ao limite do desespero e, por fim, consegue quebrar a porta giratória. Nem ouve o som alto do vidro se estilhaçando e os cacos que voam em todas as direções. Tudo que importa é sair dali correndo. O segurança e os outros clientes do banco ficam perplexos. Alguns gritam, pensando em assalto, mas ninguém tenta impedir Abílio, que segue em disparada pela rua. Chega em casa e corre para a cama. Quando os sintomas desaparecem mais uma vez, diz a si mesmo, andando de um lado para o outro:

— Não aguento mais! Vou enlouquecer! — Depois de um tempo pensando sentado no sofá da sala, finalmente admite que precisa de ajuda especializada. Lembra-se de um amigo neurocientista.

— Putz! O dr. Shermann é um grande especialista no assunto. Por que não pensei no meu amigo antes? — reclama consigo mesmo.

No dia seguinte, o dr. Shermann faz uma festa quando vê Abílio entrar no seu consultório. Após conversarem amenidades, Abílio conta tudo. Quando acaba, o dr. Shermann diz sem mais delongas:

— Abílio, você está com transtorno do pânico, o que muita gente chama também de síndrome do pânico.

— Transtorno do pânico? Isso existe mesmo?

— Claro que existe. Alguns dizem que é a doença do século XXI, junto com a depressão.

— Tem certeza, Shermann?

— Sempre desconfiado o meu amigo Abílio! — O médico sorri. — Tenho. Mas a notícia boa é que tem cura e nunca ninguém morreu disso, embora muita gente tenha deixado de viver a vida por causa do pânico.

— Porra, Shermann! Se tem cura, me dá logo esse remédio antes que eu enlouqueça.

— Calma, Abílio. Na primeira fase do tratamento você vai tomar alguns remédios que eu vou te receitar.

Abílio respira aliviado e conta, em tom de deboche, o que sua amiga Paty havia tentado fazer com ele. O dr. Shermann continua sério, sem nada dizer.

— Porra, Shermann! Pode rir.

— Rir? Talvez sua amiga esteja mais certa do que você imagina.

— O quê? Até você, Shermann? Vai me dizer que ficou supersticioso?

— Eu não disse isso. Mas, como disse Arthur C. Clarke, "O ateísmo é impossível de provar e, portanto, desinteressante".* É por isso que os ateus intelectualmente honestos admitem que não podem provar que Deus não existe.

— O que é isso, Shermann?

— Calma, Abílio. Não é hora de discussão filosófica. — E, antes que o outro possa refutar, o médico volta a falar do tratamento.

* Arthur C. Clarke, *3001 — A odisseia final*. Rio de Janeiro: Nova Fronteira, 1997.

— Quero dizer que existe uma segunda fase do tratamento, após o controle das crises. Voltando à sua amiga Paty, acho que ela deu o pontapé inicial para as possibilidades de mudança que você tem.

— Mudança? Eu? Como assim? — Abílio quase berra, claramente na defensiva.

— Vou ser mais claro — diz o médico, sem se alterar. — A arrogância é a burrice com plumas.

— Burro é meu ovo esquerdo, Shermann!

— Calma e escuta. Você sempre foi arrogante e radical, Abílio. Admita. Mas, com toda a sinceridade, agora me parece pior.

— O quê?

— Deixa eu terminar. A arrogância tem um custo muito alto para o cérebro, porque o leva à exaustão. É exatamente o que você faz com o seu. Suas certezas detonam seu cérebro, Abílio. Um pouco de humildade só faria bem a você, viu?

O neurocientista continua a falar por mais uma hora. E, para sua surpresa, Abílio para de interromper e ouve tudo em silêncio. Por mais radical que fosse, não tinha nada de burro e respeitava muito o currículo profissional do amigo.

Dois meses após o tratamento com o dr. Shermann, Abílio volta a dar aulas muito mais leve e disposto do que aquele homem inflexível e arrogante. Ao deixar os alunos exporem suas ideias, faz com que percebam a mudança. E, como se fosse uma prova para si mesmo, retoma o debate da frase de Nietzsche, "Deus está morto". Os alunos trocam olhares desconfiados. Porém, para surpresa da turma, Abílio refaz o pensamento:

— "Deus está morto" talvez signifique "as religiões estão mortas". Não foi você, Claudio, que falou das metáforas de Nietzsche? — pergunta para um dos alunos, que confirma com a cabeça. — Pois é. Toda a obra do grande filósofo alemão está repleta de metáforas e alegorias. Outra coisa. Quem quiser ler o livro do Richard Dawkins, *Deus, um delírio*, fique à vontade, mas não o considero mais a minha bíblia, como cheguei a dizer aqui. Longe disso. Para mim agora é só mais um livro polêmico. Ah! Desconfiem de qualquer um que seja cheio de certezas. Se for um cientista então...

— Mas, então, em quem acreditar? — pergunta outro aluno.

— Em você mesmo. Eu só acredito nos atormentados e nos iluminados. Tenho muito medo dos assalariados felizes — diz Abílio, sorrindo.

Os alunos voltam a trocar olhares incrédulos. O mais abusado da sala pergunta, irônico:

— Então Deus existe, mestre?

Abílio sorri mais uma vez e, antes de responder, observa o autor da pergunta por algum tempo.

— Talvez. É uma possibilidade.

Agradecimentos

À minha irmã Christine e à minha mãe, Lúcia Regina, que acreditaram neste livro com um entusiasmo contagiante;

À minha parceira de escrita, amiga incondicional e mulher genial, Ana Beatriz Barbosa Silva;

À minha madrinha, Lia Guimarães Motta, a baixinha de cérebro brilhante e alma gigante;

Ao grande escritor e roteirista Ricardo Labuto Gondim, pela generosidade e valiosas sugestões;

Aos meus irmãos de sangue Sergio, Gilda e Claudio, pela força e confiança;

Aos amigos que me ajudaram de várias maneiras diferentes neste projeto: Nilton Novaes, Silvio Fernandes, Leonardo Rangel, Murilo Felix, Alex Dumbrosck, Chris Taylor e Moa Marques;

À toda a equipe da Globo Livros, que apostou neste livro quando ainda só era possível ver uma fresta da janela.

Eduardo Mello Guimarães

Este livro, composto na fonte Fairfield,
foi impresso em papel Pólen natural 70 g/m², na Corprint.
São Paulo, outubro de 2022.